유아 연산의 기준

칸토의 연산

9까지의 뺄셈과 덧셈·뺄셈

머리말

"취학 전 우리 아이가 해야 할 수학은?"

아이를 키우는 부모님이라면 하나같이 우리 아이가 수학을 좋아하고 잘했으면 하는 바람일 것입니다. 수학에 대한 안 좋은 기억이 있으신 부모님들이라면 더더욱 걱정과 조바심 속에 초등학교 가기 훨씬 전부터 아이에게 여러 문제집을 풀게 하며 수학에 많은 시간을 사용합니다. 지금까지 아이가 푼 문제집을 쌓아 올리며 부모님 스스로가 뿌듯해 하기도 합니다.

그런데 아이가 수학을 잘하기 위해 초등학교 입학 전에 해야 할 가장 중요한 것은 무엇일까요?

수학에 관심을 갖고 수학에 재미를 느끼는 것입니다.

그러나 현실은 그렇지 않습니다. 아이들은 방대한 양의 반복된 문제를 풀며 가장 중요한 목표인 재미로부터 멀찌감치 떨어져 출발하게 됩니다. 첫 단추가 잘못 끼워지니 그 이후의 단추들도 제대로 끼워지기 어렵습니다. 아이가 처음 숫자를 보고 읽고 수를 셀 때의 희망찬 모습에서 어느덧 수 앞에만 서면 작아지는 아이의 모습으로 부모님의 새로운 걱정은 시작됩니다. 이를 바로잡으려 부모님께서 다시 힘을 내보려 하지만 너무 오래된 수학이 낯설고 멀게만 느껴집니다.

「칸토의 연산」은 아이에게는 아이의 시선에 맞게 문제의 형태와 양을 재미있게 구성하여 즐거운 시간이 될 수 있게 하였고, 부모님께는 아이를 가까이서 직접 지도할 수 있는 학습 가이드(칸토 쌤)를 제공하여 최고의 선생님이 될 수 있게 하였습니다.

수학을 잘하기 위해서는 한 문제를 끝까지 풀기 위한 노력과 끈기도 필요합니다. 하지만 수학을 잘하기 위해 지금 부모님께서 해야 할 일은 아이에게 수학에 대한 좋은 첫인상을 심어주는 것입니다. 문제 푸는 것을 어려워한다면 과감히 다음 기회로 넘기고 기다려주세요. 첫 만남이 나쁘지 않았던 우리 아이는 다시금 수학을 찾고 수학과 더 깊은 관계로 발전해 나갈 수 있을 거예요.

유아 연산 비법

"초등 입학 전 연산 딱 4가지만 알고 가요."

취학 전 우리 아이가 반드시 학습해야 할 연산 주제 4가지를 제시합니다.

수 세기(1~50)

[수 세기 방법 4가지]

① 앞으로 세기 1, 2, 3, 4, 5, ……

② 거꾸로 세기 10, 9, 8, 7, ……

③ 이어 세기 5, 6, 7, 8, 9, ……

④ 묶어 세기 2, 4, 6, 8, 10, ……
(뛰어 세기)

수를 세는 과정에는 덧셈과 뺄셈의 원리가 숨어 있어요. 실생활 소재(음식, 물건, 계단)와 수 세기 모형(주사위, 수직선, 계란판)을 이용하여 반복하여 연습해 주세요. 아이의 수·연산 감각을 발달시킬 수 있는 출발점입니다.

수 계열(1~50)

[50까지의 수 배열표]

1 큰 수 →
10 큰 수 ↓

1	2	3	4	5	6	7	8	9	10
11	12	13	14	15	16	17	18	19	20
21	22	23	24	25	26	27	28	29	30
31	32	33	34	35	36	37	38	39	40
41	42	43	44	45	46	47	48	49	50

10 작은 수 ↑
← 1 작은 수

50까지의 수 배열표를 관찰하며 수의 구성과 각 수들 간의 관계를 파악하고 50까지의 수를 익혀요. 수 배열표를 머릿속으로 그릴 수 있어야 해요.

모으기·가르기(1~9)

[모으기]

2 3
□

[가르기]

7
2 □

9까지의 수를 모으고 가르는 활동은 덧셈, 뺄셈의 기초이며 핵심 원리예요.
손가락뿐만 아니라 생활 속 다양한 구체물을 활용하여 반복적으로 연습해 보세요.

덧셈·뺄셈(0~9)

[동적 상황의 덧셈·뺄셈]

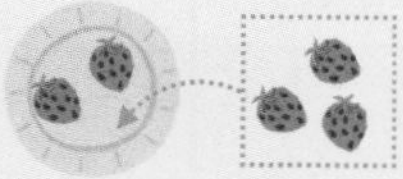

$2+3=\square$

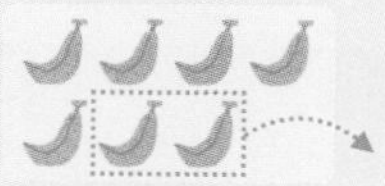

$7-2=\square$

덧셈, 뺄셈은 동적인 상황(첨가, 제거)과 정적인 상황(합병, 비교) 2가지가 있어요. 이것을 잘 이해하면 덧셈·뺄셈 문장제 문제를 해결하는 데 큰 도움이 돼요.

단계별 구성

유아/3단계

단계	권	주제
5세	1	1부터 5까지의 수
	2	6부터 9까지의 수
	3	1부터 9까지의 수
	4	덧셈과 뺄셈의 기초
6세	1	0부터 10까지의 수
	2	10까지의 수에서 더하기·빼기 1
	3	20까지의 수에서 더하기·빼기 1, 10
	4	20까지의 수에서 더하기·빼기 1, 2, 10
7세	1	합이 9까지의 덧셈
	2	9까지의 뺄셈과 덧셈·뺄셈
	3	50까지의 수에서 더하기·빼기 1, 2, 10
	4	받아올림·내림 없는 (두 자리 수±한 자리 수)

초등/6단계

단계	권	주제
초1	1	덧셈구구
	2	뺄셈구구
	3	편리한 계산 전략
	4	100까지의 수, 받아올림·내림 없는 (두 자리 수±두 자리 수)
초2	1	받아올림·내림 있는 (두 자리 수±한 자리 수)
	2	받아올림·내림 있는 (두 자리 수±두 자리 수)
	3	곱셈의 기초와 곱셈구구(1)
	4	곱셈구구(2)
초3	1	받아올림·내림 있는 (세 자리 수±세 자리 수)
	2	나눗셈구구
	3	(세 자리 수×한 자리 수), (두 자리 수×두 자리 수)
	4	분수와 소수의 기초
초4	1	큰 수
	2	곱셈과 나눗셈
	3	분모가 같은 분수의 덧셈과 뺄셈
	4	소수의 덧셈과 뺄셈
초5	1	자연수의 혼합 계산
	2	약수와 배수, 약분과 통분
	3	분모가 다른 분수의 덧셈과 뺄셈
	4	분수의 곱셈, 소수의 곱셈
초6	1	분수의 나눗셈
	2	소수의 나눗셈
	3	비와 비율
	4	비례식과 비례배분

칸토의 연산 시리즈

(9단계, 총 36권)

- 연산의 원리부터 재미있는 퍼즐형 문제까지 다루는 기본 난이도의 연산 교재
- 나선형 반복 학습과 확장 커리큘럼
- [칸토의 연산] ➡ [응용 연산]으로 이어지는 기본·심화 연산 학습 설계
- 단계별 4권, 9단계 총 36권 구성
- 한 단계 4개월 완성
- 학년별 교과서 진도와 맞춤 병행

이 책의 칸토 구성과 특징

- 하루 2쪽, 매주 5일씩 4주 동안 완성하는 연산 프로그램이에요.
- 연령별 아이의 학습 눈높이와 학습 체력에 맞게 쉬운 난이도와 하루 10분 정도의 학습 분량으로 구성하였어요.
- 선생님과 같은 실력으로 아이를 지도할 수 있게 「칸토 쌤」 코너에 알찬 학습 가이드를 수록하였어요.

1 학습 안내 · 무엇을 공부할까요?

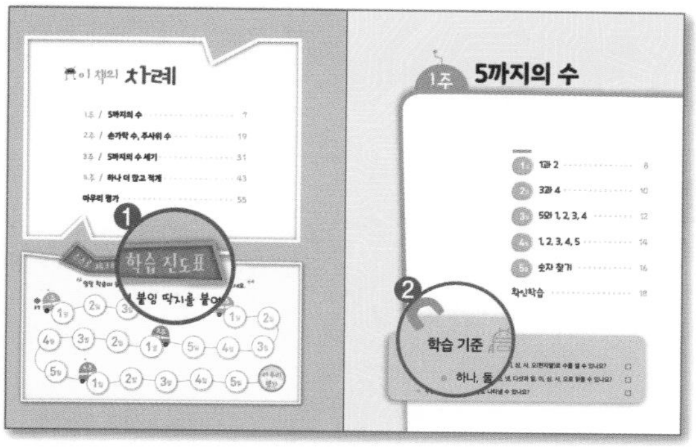

❶ 붙임 딱지를 붙여 학습 진도를 체크해요.

❷ 이번 주에 꼭 알아야 할 학습 기준을 체크해요.
공부 전에 간단히 살펴보고, 한 주 공부가 끝나면 반드시 확인해 보세요.

2 일일 학습 · 매주 5일씩 4주 동안 공부해요.

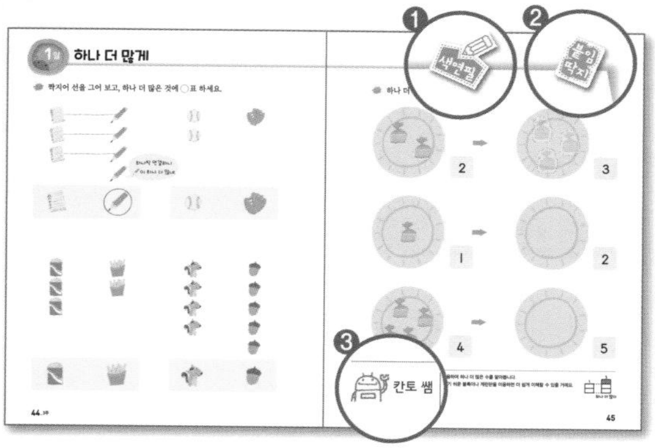

❶ 색연필을 사용하는 활동이에요.

❷ 붙임 딱지를 붙이는 활동이에요.

❸ 연산의 개념, 원리, 활용뿐만 아니라 아이의 학습 심리 상태를 파악할 수 있는 학습 가이드를 꼭 참고하세요.

3 확인 학습 · 이번주 배운 내용을 잘 알고 있나요?

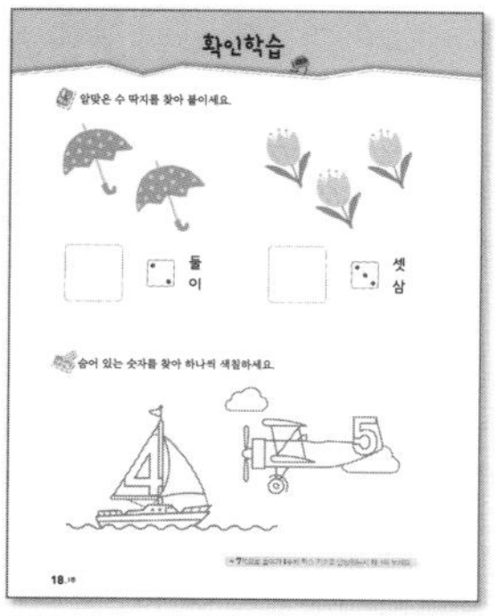

4 마무리 평가 · 4주 동안 배운 내용을 잘 알고 있나요?

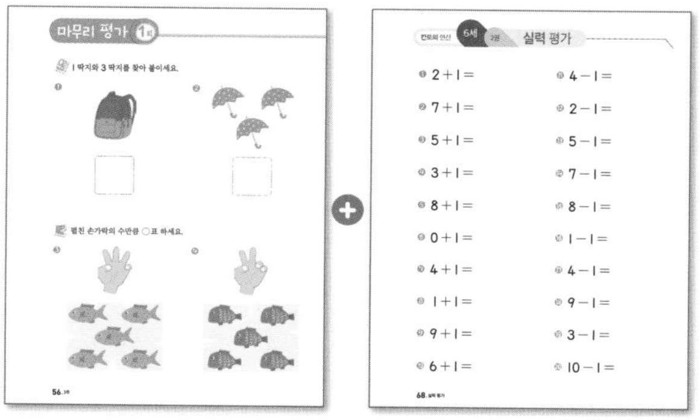

이 책의 차례

스스로 체크하는 학습 진도표

"일일 학습이 끝나면 붙임 딱지를 붙여 학습 진도를 표시해 보세요."

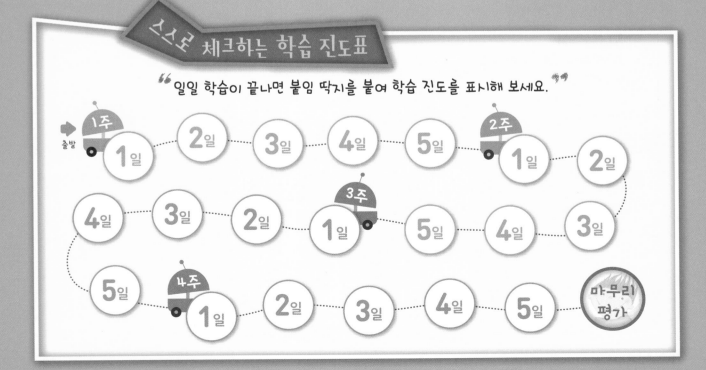

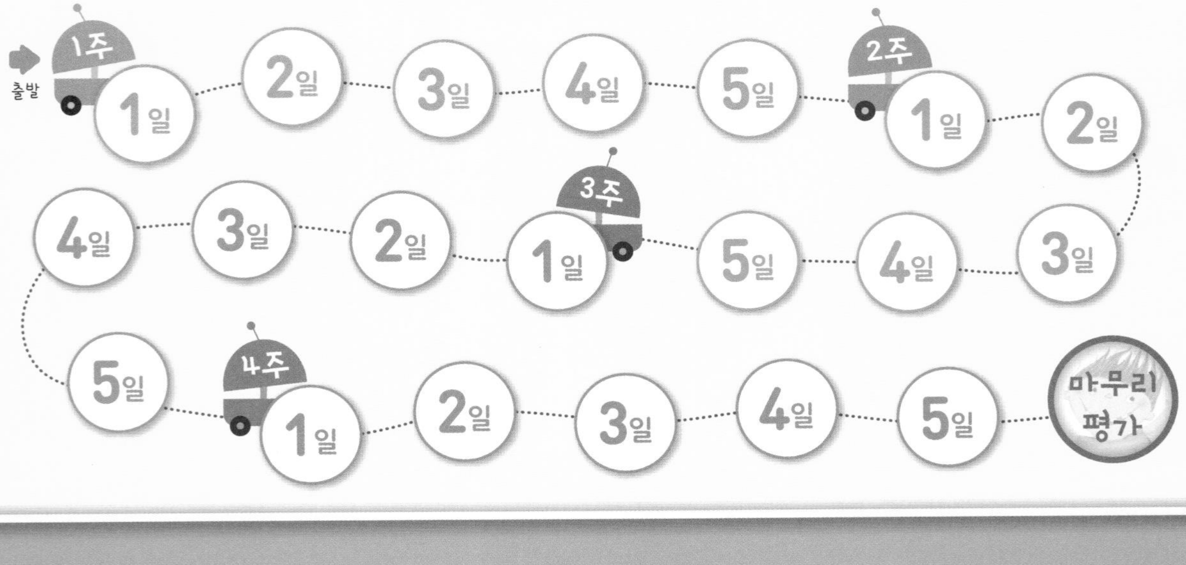

1주 한 자리 수의 뺄셈

학습 기준

- 그림이 나타내는 뺄셈식을 찾을 수 있나요? □
- 그림을 보고 뺄셈을 할 수 있나요? □
- 계란판과 뛰어 세기를 이용하여 뺄셈을 할 수 있나요? □
- 한 자리 수의 뺄셈을 할 수 있나요? □

1일 그림 뺄셈(1)

그림을 보고 빈칸에 알맞은 수를 쓰세요.

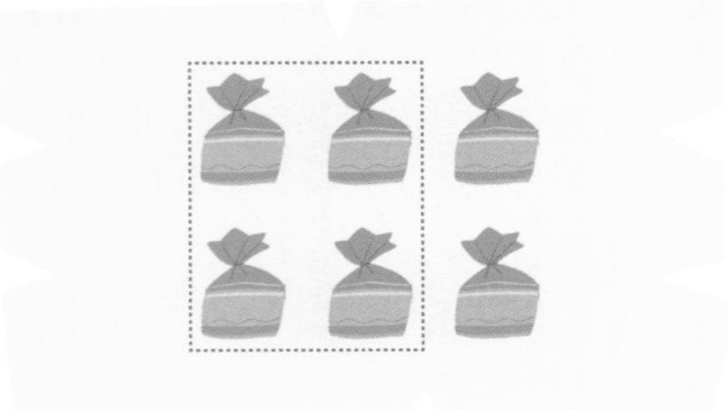

6

4 2

6개 중에 4개를 묶고 남은 수는?

4

3 □

7

5 □

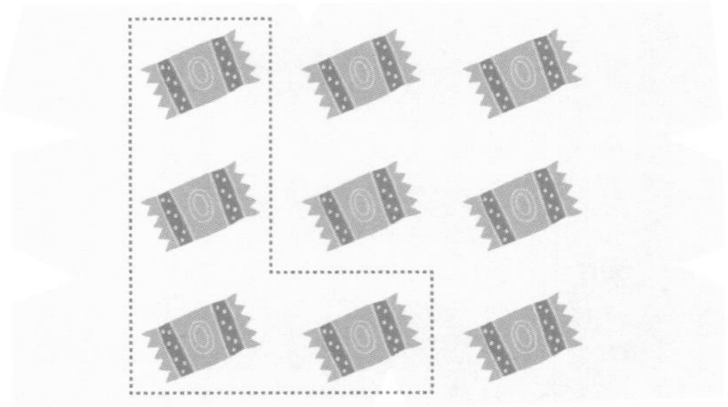

9

4 □

알맞은 식을 찾아 선으로 이으세요.

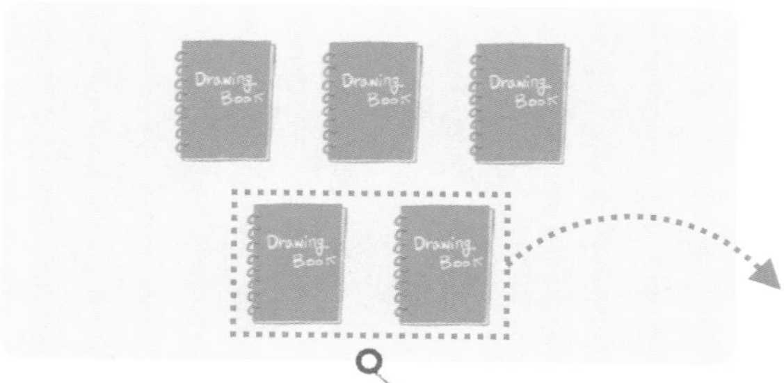

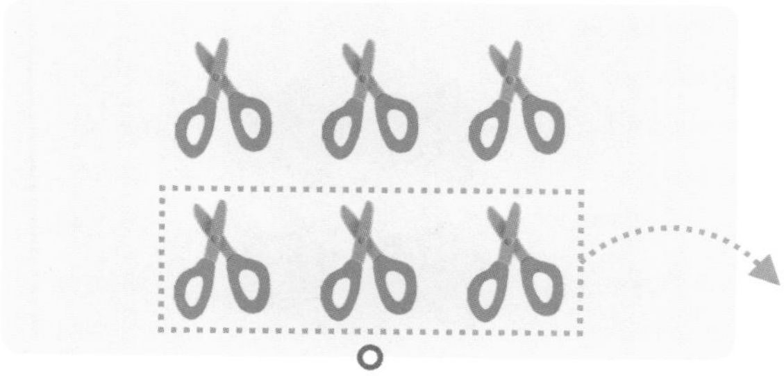

3 − 2　　5 − 2　　6 − 3　　6 − 4

5 빼기 2

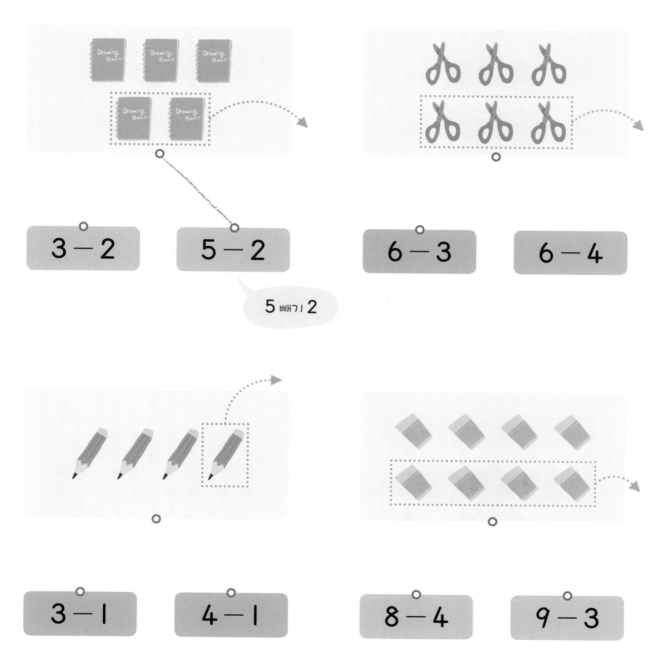

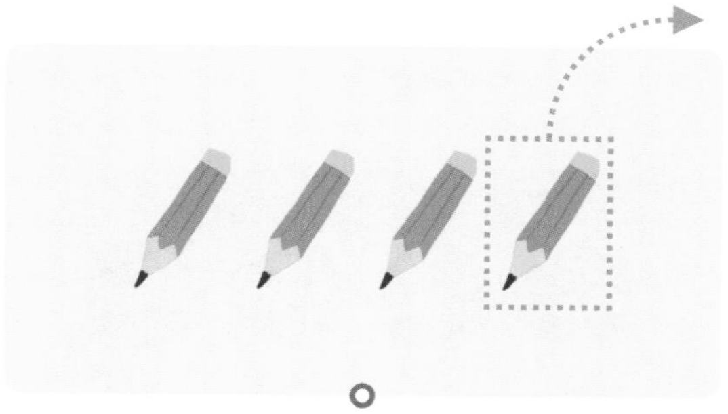

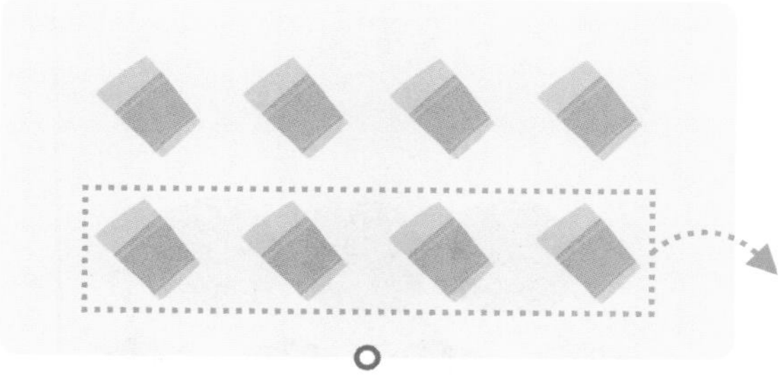

3 − 1　　4 − 1　　8 − 4　　9 − 3

칸토 쌤

7세 1권에서 배운 가르기 개념을 한 번 더 복습하며 앞으로 배우게 될 뺄셈을 준비합니다. 이어서 빼는 상황을 그림으로 관찰한 후 어떻게 나타내는 것이 좋을지 뺄셈식을 추론해 봅니다.

●●● - ●

3

1 □

2일 그림 뺄셈(2)

그림을 보고 뺄셈을 하세요.

$$4 - 1 = \boxed{3}$$

4 빼기 1은 3입니다.

$$5 - 3 = \boxed{}$$

내가 먹고 남은 개수를 구해야 해.

$$7 - 2 = \boxed{}$$

$$8 - 4 = \boxed{}$$

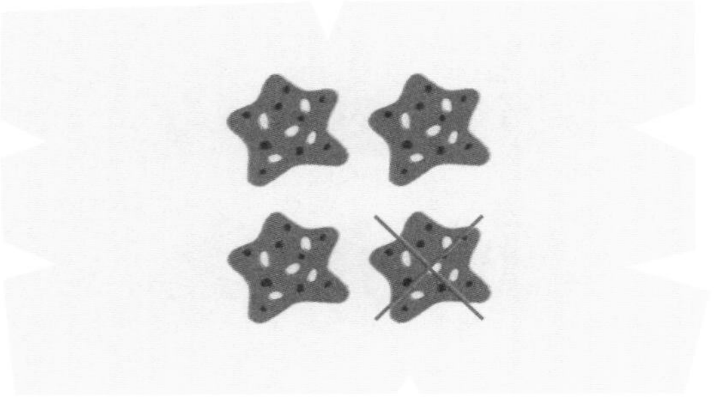

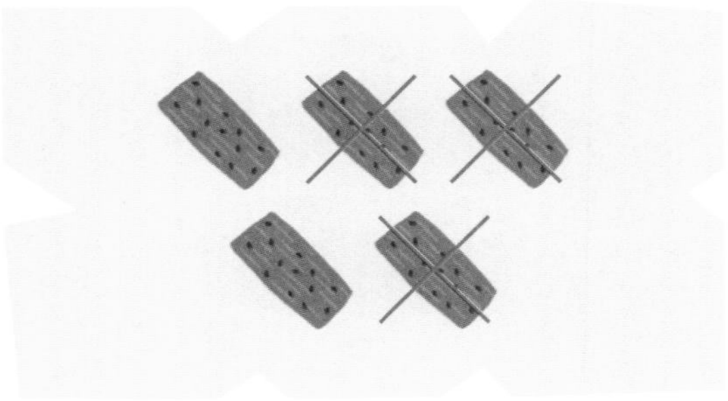

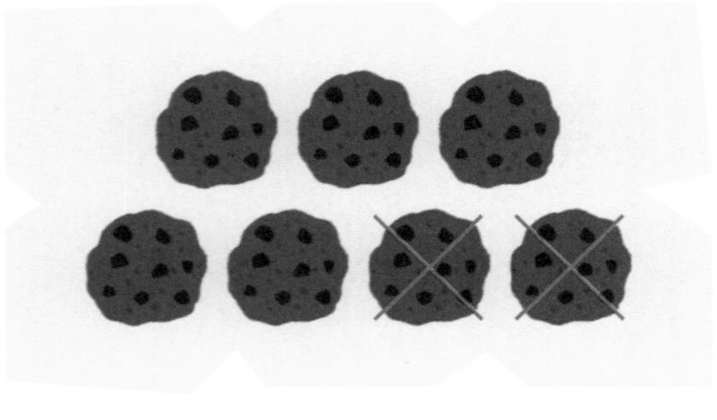

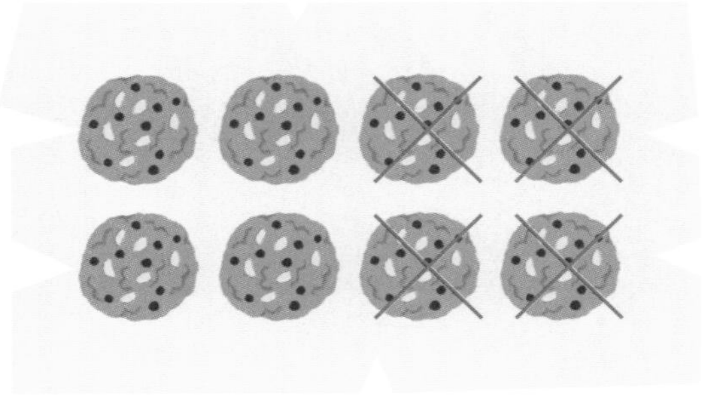

하나씩 짝지어 선을 긋고, 뺄셈을 하세요.

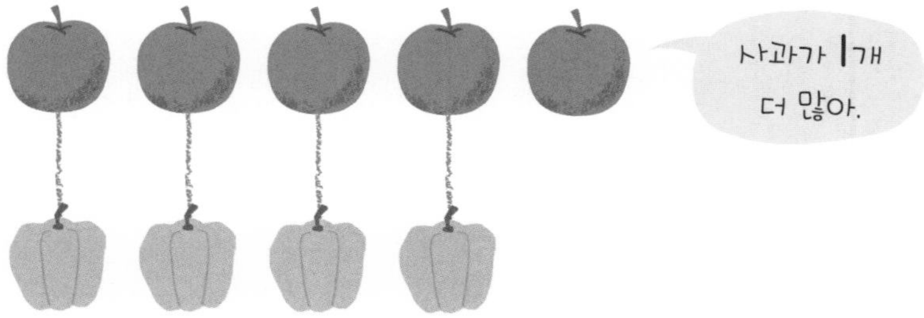

$5 - 4 = \boxed{1}$

5 빼기 4는 1과 같습니다.

$6 - 3 = \square$

$4 - 2 = \square$

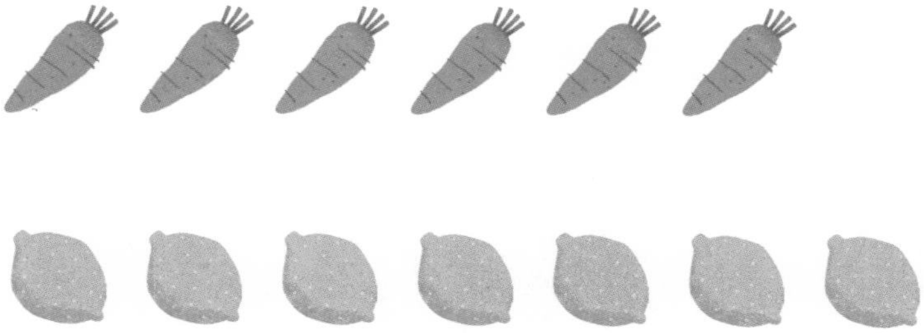

$7 - 6 = \square$

칸토 쌤 제거와 비교 2가지 방법으로 뺄셈을 공부합니다. 많은 아이들이 제거 뺄셈에 익숙하여 비교 뺄셈을 잘 못하는 경우가 있어요. 먹을 것의 수 비교하기, 남자와 여자 친구의 수 비교하기 등을 이야기하며 비교 뺄셈을 이해시켜 주세요.

3 – 2

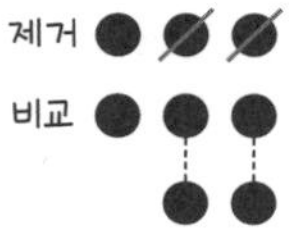

3일 계란판 뺄셈

빼는 수만큼 /으로 지워 뺄셈을 하세요.

$$7 - 2 = \boxed{5}$$

달걀 **7**개 중에서 **2**개 가져갔어.

힝~ 우리 아이들이 얼마나 남은 거야?

$$5 - 3 = \boxed{}$$

$$8 - 4 = \boxed{}$$

$$7 - 1 = \boxed{}$$

$$9 - 6 = \boxed{}$$

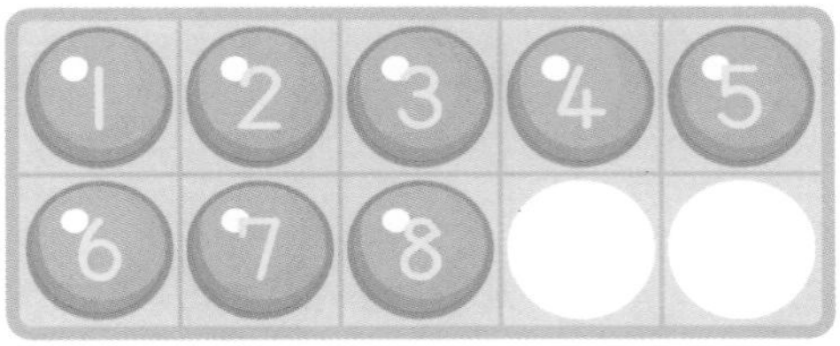

빼지는 수만큼 ◯를 그리고, 빼는 수만큼 ◯를 /으로 지워 뺄셈을 하세요.

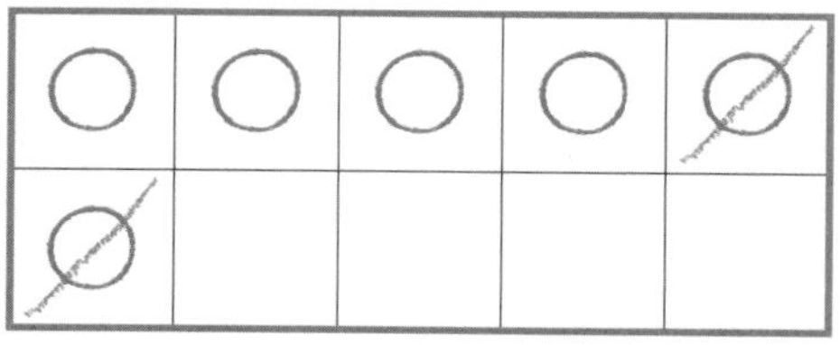

6 − 2 = 4

빼지는 수 빼는 수

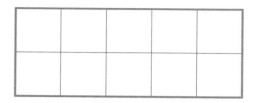

5 − 4 = □

4 − 2 = □

8 − 5 = □

9 − 4 = □

7 − 3 = □

칸토 쌤

계란판을 이용하여 뺄셈을 하는 활동이에요. 계란판은 5씩 위·아래로 나누어져 있어 덧셈·뺄셈을 직관적으로 쉽게 해줘요. 계란판에 순서에 맞게 ◯를 그린 후, /표 하여 빼기를 할 수 있어야 해요.

7 − 3

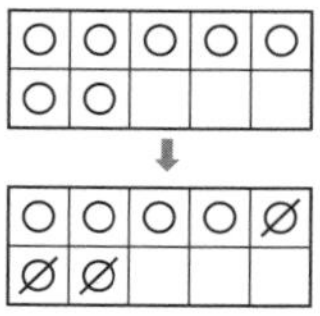

4일 뛰어 빼셈과 수 막대 뺄셈

화살표를 그려 뺄셈을 하세요.

6에서 거꾸로
2번 뛰었어.

1	2	3	4	5	6	7	8	9

$6-2=\square$

1	2	3	4	5	6	7	8	9

$8-1=\square$

1	2	3	4	5	6	7	8	9

$5-3=\square$

1	2	3	4	5	6	7	8	9

$9-4=\square$

수 막대의 □ 안에 알맞은 수를 쓰고, 뺄셈을 하세요.

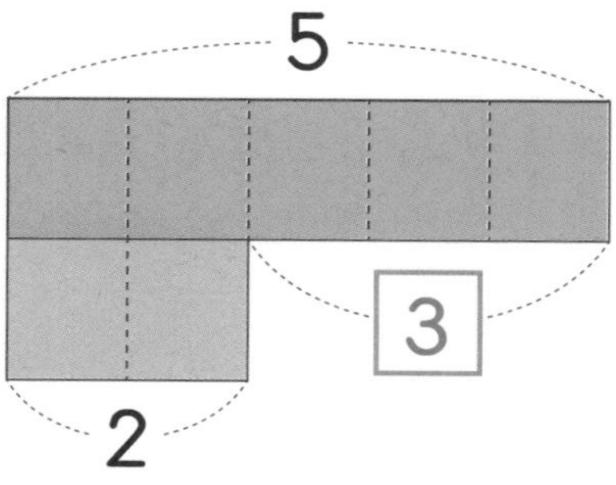

$5 - 2 = \square$

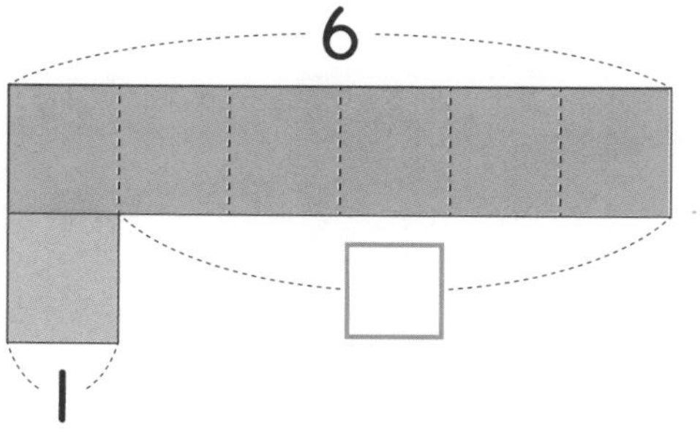

$6 - 1 = \square$

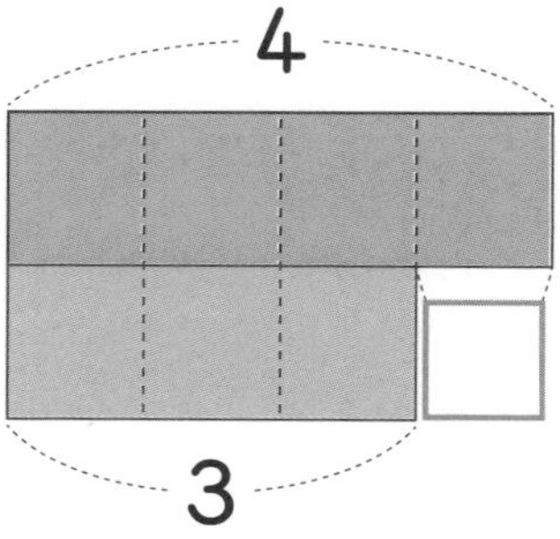

$4 - 3 = \square$

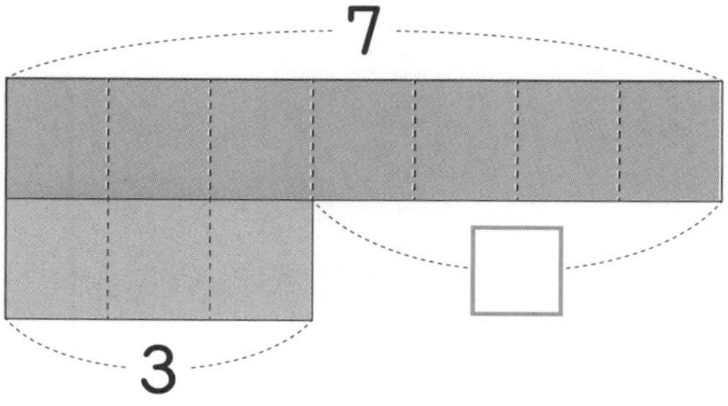

$7 - 3 = \square$

칸토 쌤 뛰어 세기로 뺄셈을 공부해요. 뛰어 세기는 아이들이 가르기, 모으기를 배우기 전에 덧셈·뺄셈에 사용하는 방법이에요. 주로 더하는 수나 빼는 수가 작을 때 사용해요.

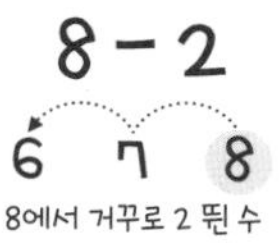

5일 한 자리 수의 뺄셈 연습

갈매기가 물고기를 잡아요. 관계있는 물고기를 알맞게 붙이세요.

뺄셈을 하세요.

$7 - 2 = \boxed{}$

$5 - 4 = \boxed{}$

$4 - 1 = \boxed{}$

$8 - 6 = \boxed{}$

$9 - 3 = \boxed{}$

$6 - 2 = \boxed{}$

$8 - 4 = \boxed{}$

$9 - 7 = \boxed{}$

$$\begin{array}{r} 6 \\ -\ 3 \\ \hline \boxed{} \end{array}$$

$$\begin{array}{r} 8 \\ -\ 5 \\ \hline \boxed{} \end{array}$$

$$\begin{array}{r} 9 \\ -\ 4 \\ \hline \boxed{} \end{array}$$

확인학습

빼지는 수만큼 ◯를 그리고, 빼는 수만큼 ◯를 /으로 지워 뺄셈을 하세요.

$5-2=\square$

$8-3=\square$

화살표를 그려 뺄셈을 하세요.

1	2	3	4	5

$4-3=\square$

5	6	7	8	9

$9-2=\square$

뺄셈을 하세요.

$$\begin{array}{r} 5 \\ -\ 4 \\ \hline \square \end{array} \qquad \begin{array}{r} 9 \\ -\ 3 \\ \hline \square \end{array} \qquad \begin{array}{r} 7 \\ -\ 5 \\ \hline \square \end{array}$$

➡ 7쪽으로 돌아가 1주 차 학습 기준을 달성했는지 체크해 보세요.

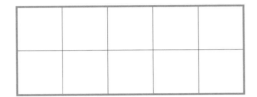

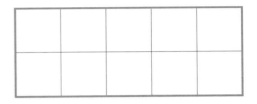

2주 □가 있는 뺄셈

학습 기준

- 뺄셈을 이용하여 컵 안에 있는 과자의 개수를 구할 수 있나요? □
- □가 있는 뺄셈식에서 □를 구할 수 있나요? □
- 주어진 차에 알맞은 두 수를 찾을 수 있나요? □

1일 □가 있는 그림 뺄셈

컵 안에는 사탕이 몇 개 있을까요? 컵 위에 사탕 딱지를 붙여 구하세요.

개

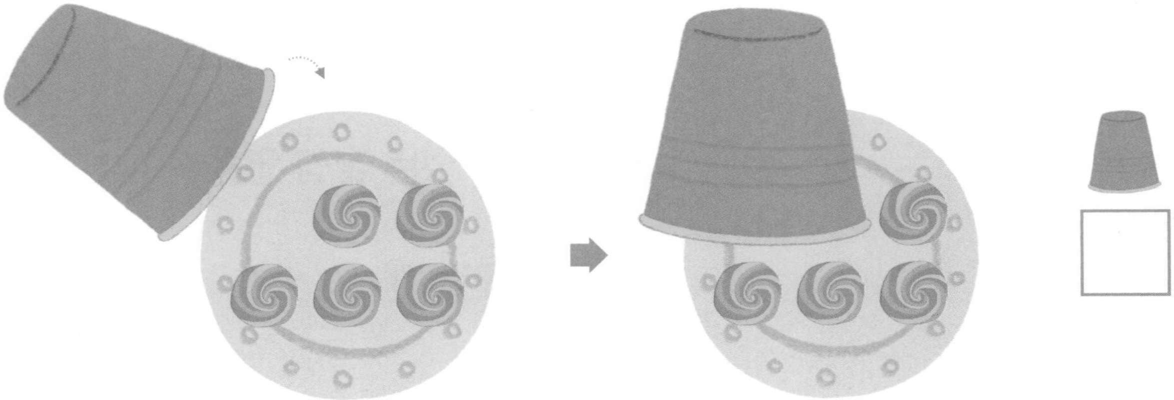

개

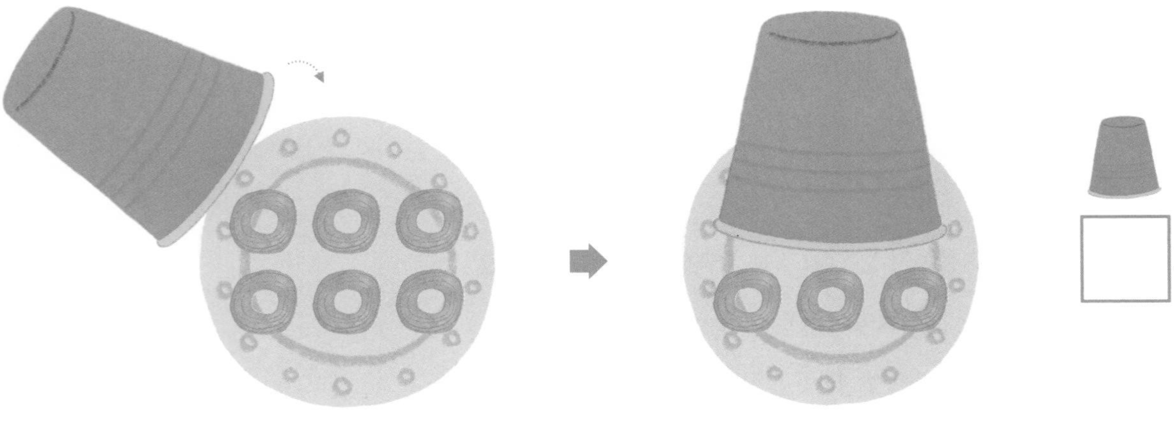

개

붙임딱지

주먹 안에는 구슬이 몇 개 있을까요?

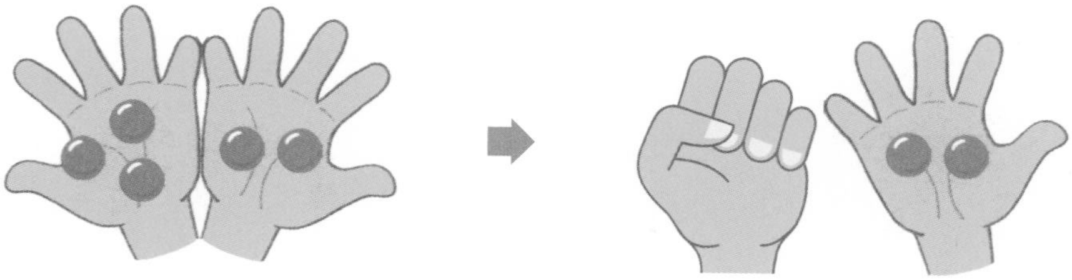

□ 개

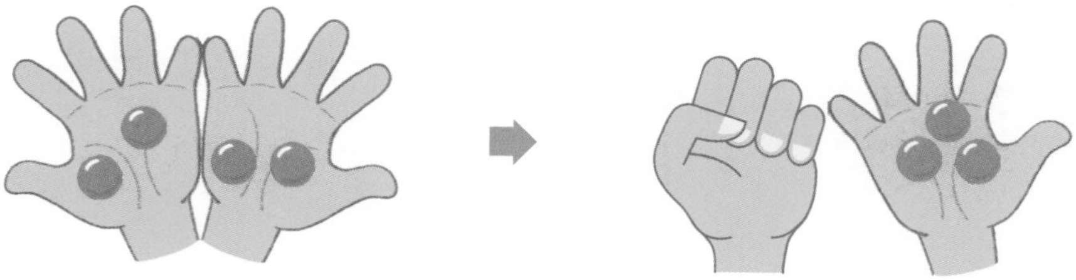

□ 개

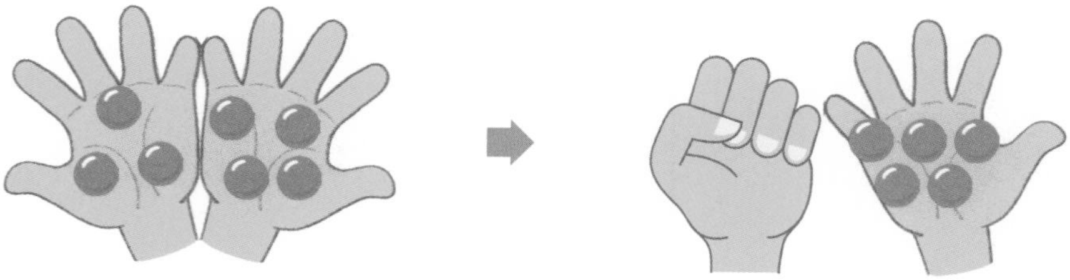

□ 개

2일 □가 있는 뛰어 빼셈

화살표를 그려 빈칸에 알맞은 수를 구하세요.

하나, 둘, 셋!

5에서 거꾸로 3번 뛰어야 2가 돼.

| 1 | ②| 3 | 4 | 5 | 6 | 7 | 8 | 9 |

$5 - \boxed{3} = 2$

| 1 | 2 | 3 | 4 | 5 | ⑥| 7 | 8 | 9 |

$7 - \boxed{} = 6$

| ①| 2 | 3 | 4 | 5 | 6 | 7 | 8 | 9 |

$4 - \boxed{} = 1$

| 1 | 2 | 3 | ④| 5 | 6 | 7 | 8 | 9 |

$6 - \boxed{} = 4$

화살표를 그려 빈칸에 알맞은 수를 구하세요.

−2

1	2	3	4	5	6	7	8	9

$\boxed{8} - 2 = 6$

1	2	3	4	5	6	7	8	9

$\square - 1 = 2$

1	2	3	4	5	6	7	8	9

$\square - 3 = 4$

1	2	3	4	5	6	7	8	9

$\square - 2 = 7$

1	2	3	4	5	6	7	8	9

$\square - 4 = 4$

칸토 쌤 □가 있는 뺄셈을 뛰어 세기로 알아보는 활동이에요. 아이들 대부분이 계산 결과를 구하는 것에만 익숙하여 어려워하는 문제예요. □가 뒤에 있을 때보다 앞에 있을 때 더 어려워하므로 위와 같이 표를 그려 수의 순서를 이용할 수 있게 도와주세요.

3일 □가 있는 계란판 뺄셈

 ●를 /으로 지워 빈칸에 알맞은 수를 구하세요.

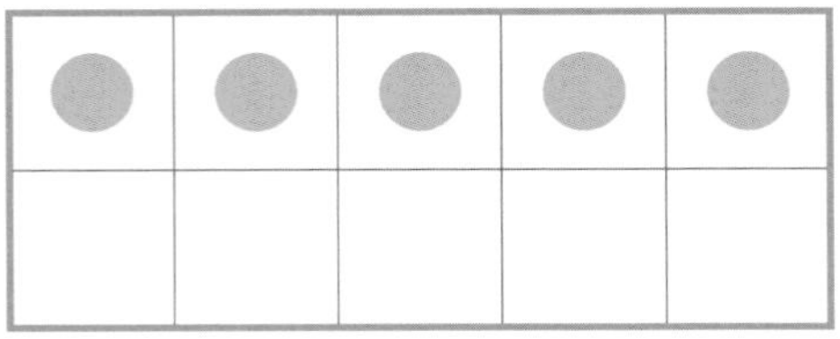

계란 5개가 있었는데 3개가 남았어.

□가 몇 개를 훔쳐간 거야?

$$5 - \boxed{2} = 3$$

$$4 - \boxed{} = 0$$

$$8 - \boxed{} = 5$$

$$9 - \boxed{} = 8$$

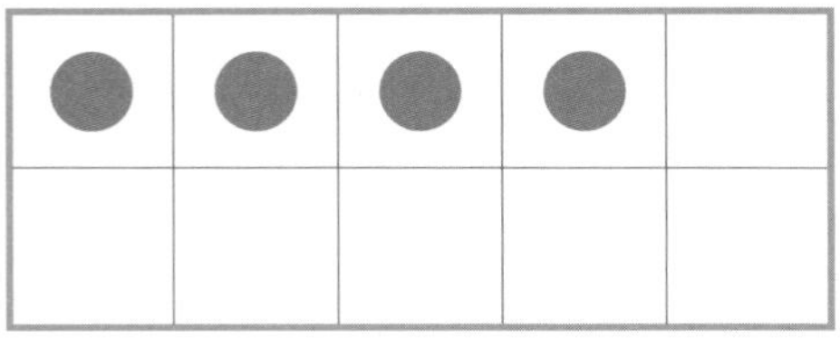

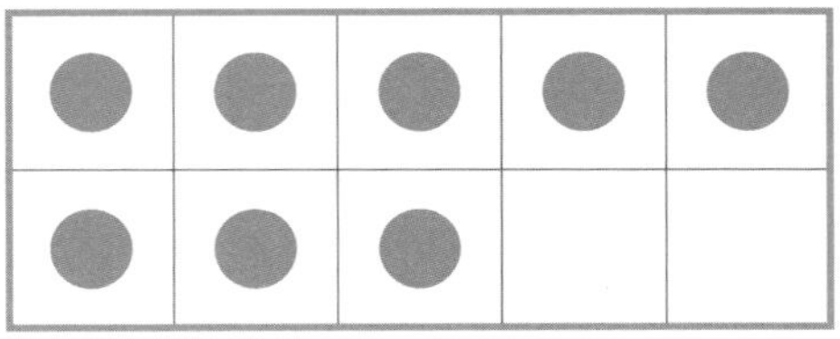

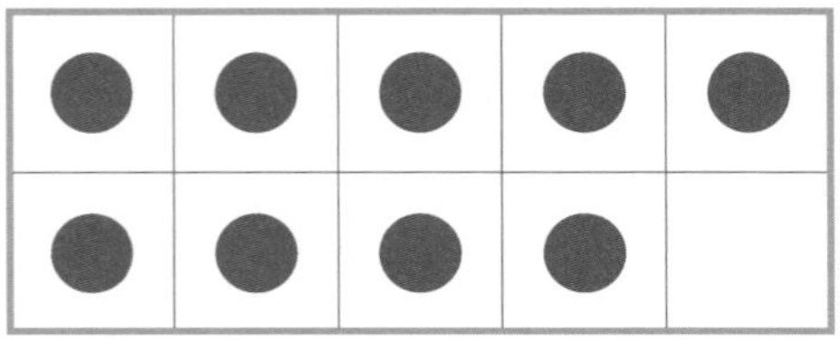

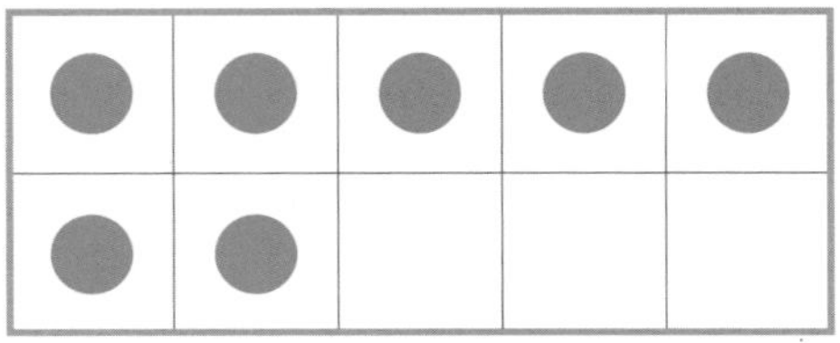

지운 것을 $\oslash$ 로 나타내어 빈칸에 알맞은 수를 구하세요.

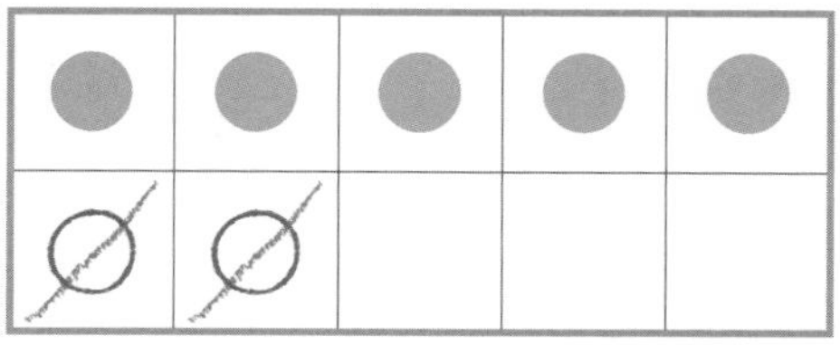

$\boxed{7} - 2 = 5$

지운 수

내가 계란 2개를 가져간 후 5개가 남았어.

원래는 2개가 더 있던 거지.

$\boxed{} - 1 = 4$

$\boxed{} - 3 = 3$

$\boxed{} - 2 = 6$

$\boxed{} - 4 = 5$

칸토 쌤 ☐가 있는 뺄셈을 계란판으로 알아보는 활동이에요. ☐가 있는 뺄셈은 수식만 보고 풀기에는 아이들이 많이 어려워해요. 수직선이나 계란판 외에도 이야기를 이용하여 아이가 상황을 이해할 수 있게 도와주세요.

바나나가 5개 있었는데……

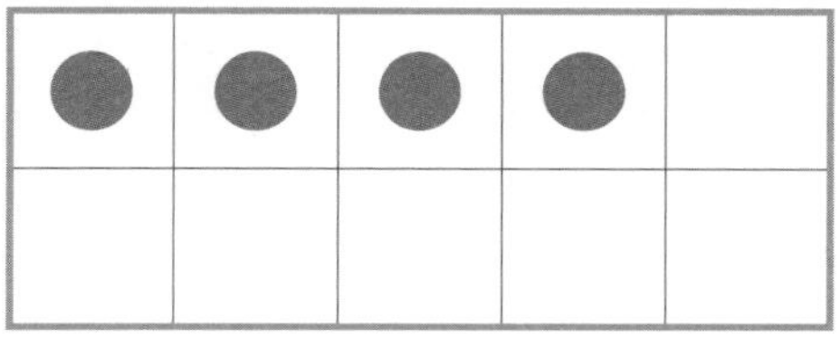

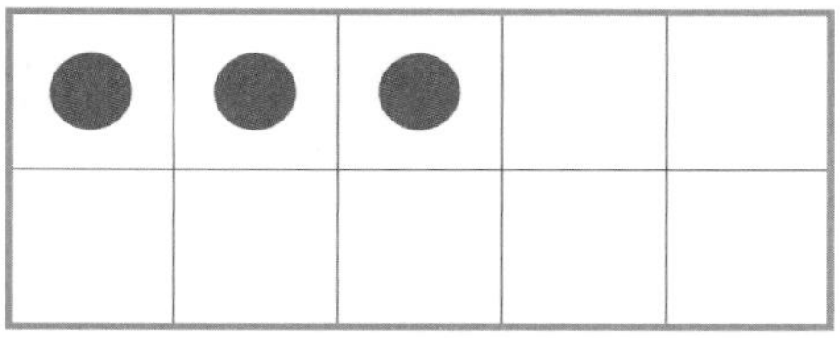

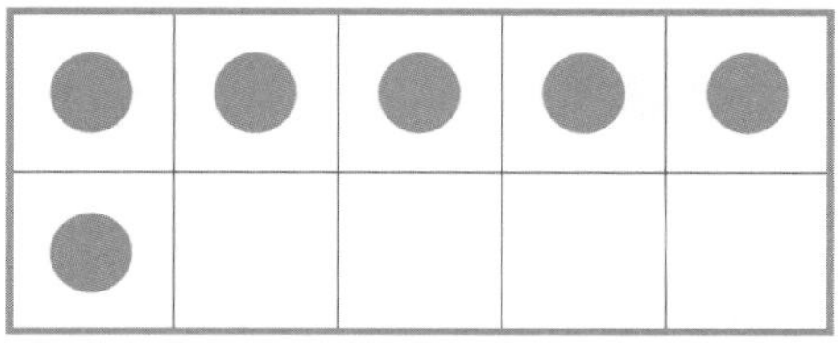

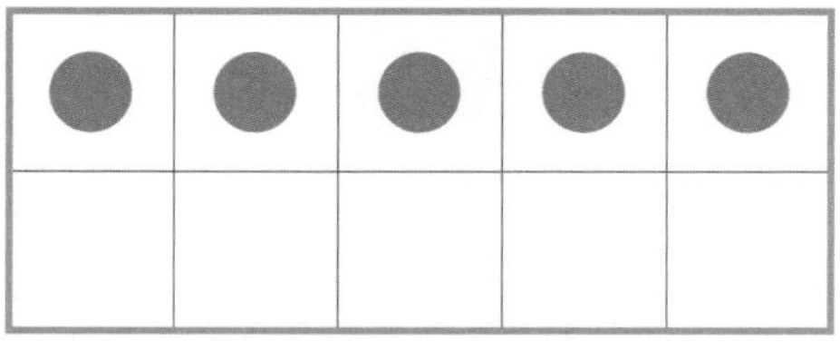

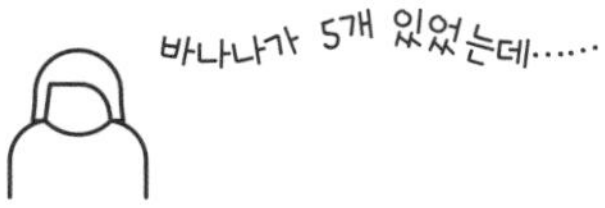

4일 □가 있는 뺄셈 연습

올바른 뺄셈식이 되도록 빈칸에 알맞은 수를 쓰세요.

□−2=7

8−□=5

	8				
	−	2	=	7	
				−	
	=			5	
	5	−		=	1

7	−		=	3	
	1			−	
	=				
	8	−		=	2
				0	

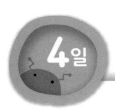

빈칸에 알맞은 수를 쓰세요.

$6 - \boxed{} = 2$

$\boxed{} - 4 = 4$

$\boxed{} - 1 = 5$

$5 - \boxed{} = 1$

$7 - \boxed{} = 3$

$\boxed{} - 2 = 7$

$\boxed{} - 3 = 6$

$6 - \boxed{} = 3$

$$\begin{array}{r} 5 \\ -\ \boxed{} \\ \hline 2 \end{array} \qquad \begin{array}{r} \boxed{} \\ -\ 4 \\ \hline 3 \end{array} \qquad \begin{array}{r} 8 \\ -\ \boxed{} \\ \hline 7 \end{array}$$

5일 차 만들기

1부터 9까지의 수 중 빈칸에 알맞은 수를 모두 쓰세요.

3이 되는 뺄셈

$4 - 1 = 3$

$5 - 2 = 3$

$\boxed{} - \boxed{} = 3$

$\boxed{} - \boxed{} = 3$

$\boxed{} - \boxed{} = 3$

$\boxed{} - \boxed{} = 3$

5가 되는 뺄셈

$6 - \boxed{} = 5$

$7 - \boxed{} = 5$

$\boxed{} - \boxed{} = 5$

$\boxed{} - \boxed{} = 5$

7이 되는 뺄셈

$\boxed{} - \boxed{} = 7$

$\boxed{} - \boxed{} = 7$

내가 4살이었을 때 너는 1살!

형이 5살이었을 때 나는 2살!

우리 나이 차는 항상 같네.

□ 안에 알맞은 두 수를 찾아 선으로 이으세요.

□ − □ = 5

차가 5인 두 수

7, 5, 9, 3, 6, 2

□ − □ = 8

7, 2, 1, 8, 6, 9

□ − □ = 3

8, 2, 4, 7, 9, 3

□ − □ = 6

3, 8, 5, 9, 1, 6

칸토 쌤

두 수의 차를 보고 두 수를 찾는 활동이에요. 차가 일정할 때 두 수의 쌍은 여러 개 있을 수 있다는 것을 알게 해 주세요. 그리고 수 카드를 한 장씩 펼치며 차가 얼마인 두 수 찾기 게임을 해 보세요.

차가 3인 두 수 찾기

확인학습

주먹 안에는 구슬이 몇 개 있을까요?

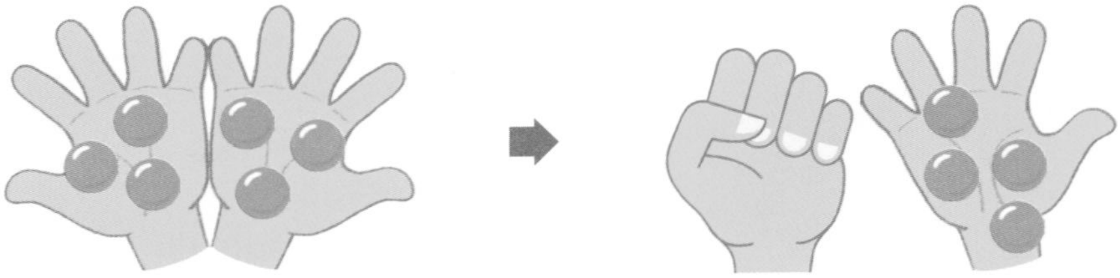

☐개

빈칸에 알맞은 수를 쓰세요.

$8 - \square = 3$ $\square - 2 = 2$

☐ 안에 알맞은 두 수에 ○표 하세요.

$\square - \square = 4$

2 3 5 7

➡ 19쪽으로 돌아가 2주 차 학습 기준을 달성했는지 체크해 보세요.

3주 한 자리 수의 덧셈, 뺄셈

학습 기준

- 그림이 나타내는 덧셈식과 뺄셈식을 알고, 덧셈과 뺄셈을 할 수 있나요? ☐
- 양팔저울을 보고 덧셈과 뺄셈을 할 수 있나요? ☐
- 수 막대를 보고 덧셈식과 뺄셈식을 쓸 수 있나요? ☐
- 두 수의 합과 차를 알고, 합과 차를 이용하여 두 수를 구할 수 있나요? ☐

그림 덧셈, 뺄셈

 알맞은 식을 찾아 선으로 이으세요.

연필이 5자루 있었는데
2자루를 더 샀어.

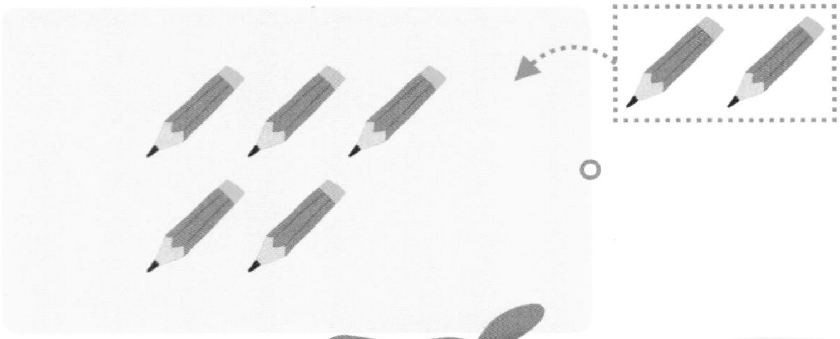

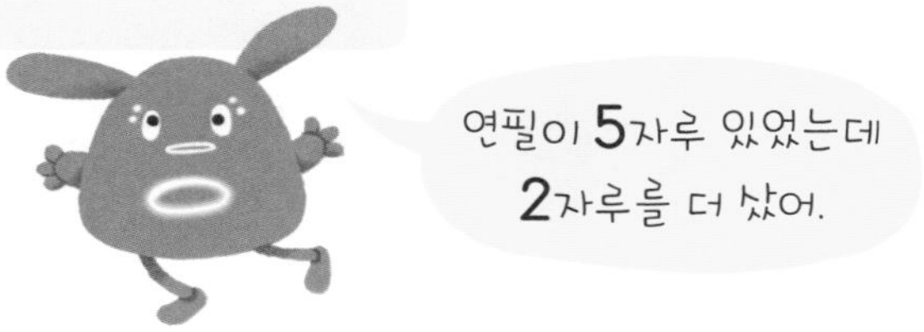

5 + 2

4 + 2

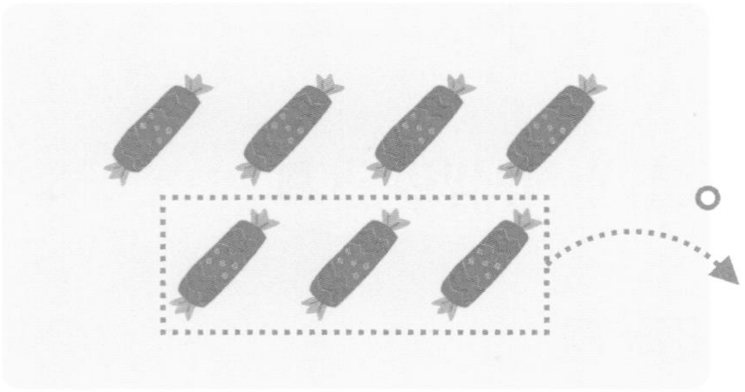

6 − 3

7 − 3

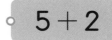

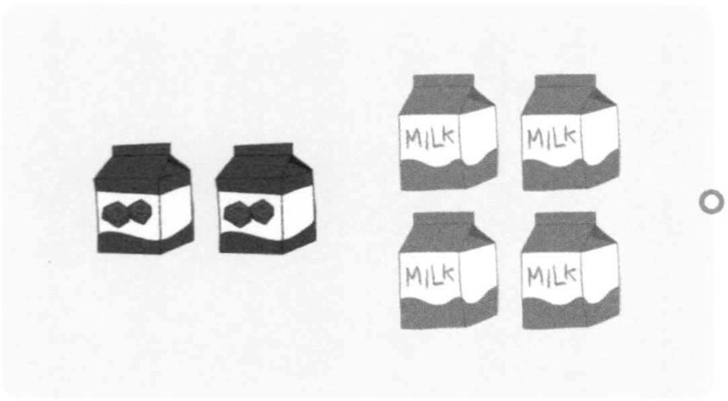

2 + 4

6 − 2

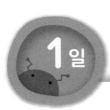

그림을 보고 덧셈과 뺄셈을 하세요.

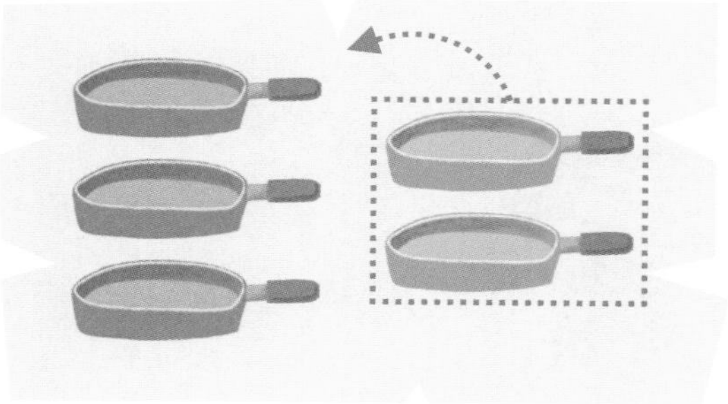

$3 + 2 = \square$

$4 - 2 = \square$

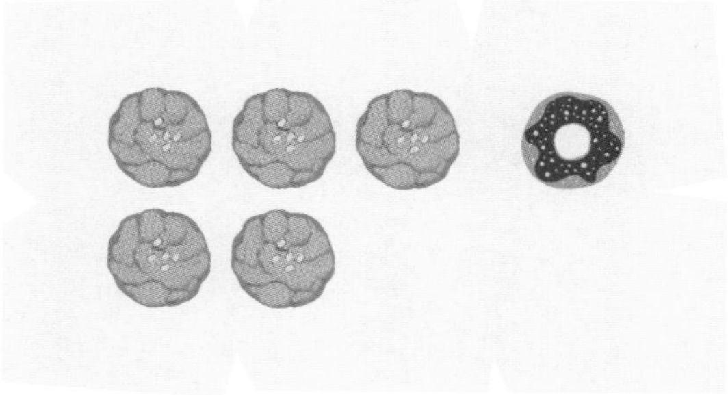

$5 + 1 = \square$

$5 - 3 = \square$

칸토 쌤

지금까지 공부한 덧셈, 뺄셈을 그림을 보며 복습합니다.

2 + 1 = 2

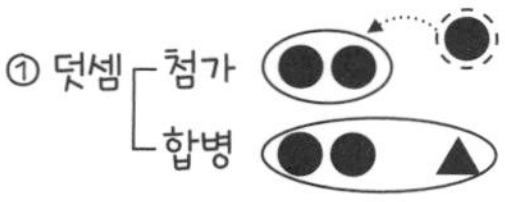

3 − 1 = 2

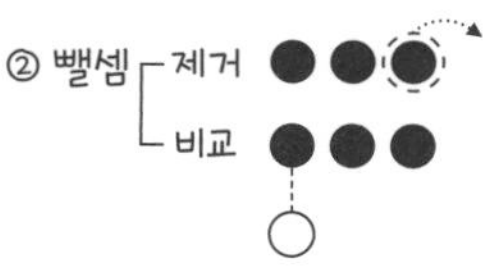

양팔저울이 평형이 되도록 빈 추에 알맞은 수를 쓰고, 덧셈을 하세요.

양팔저울 양쪽의 무게가 같아야 평형이 돼.

2 + 1 = ☐

3 + 4 = ☐

5 + 3 = ☐

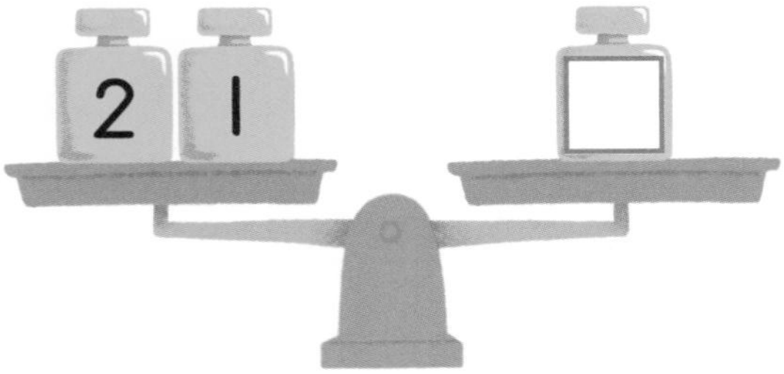

양팔저울이 평형이 되도록 빈 추를 찾아 선으로 잇고, 뺄셈을 하세요.

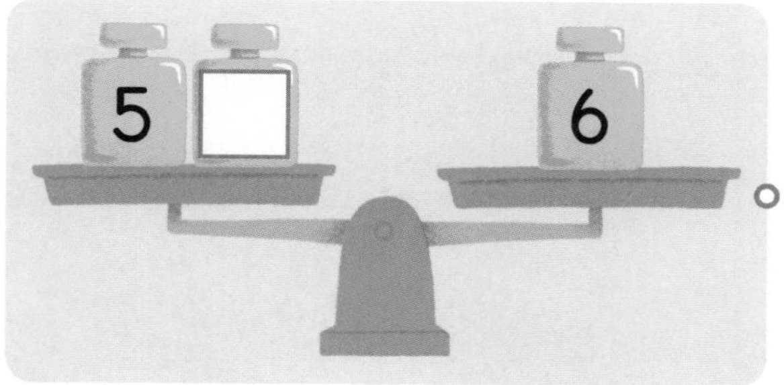

6 − 5 = □

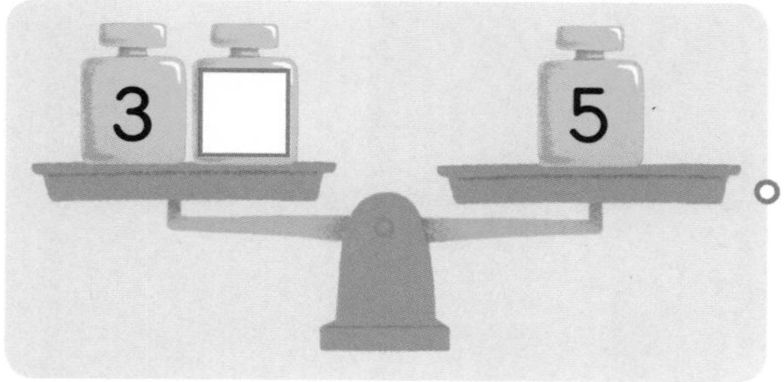

5 − 3 = □

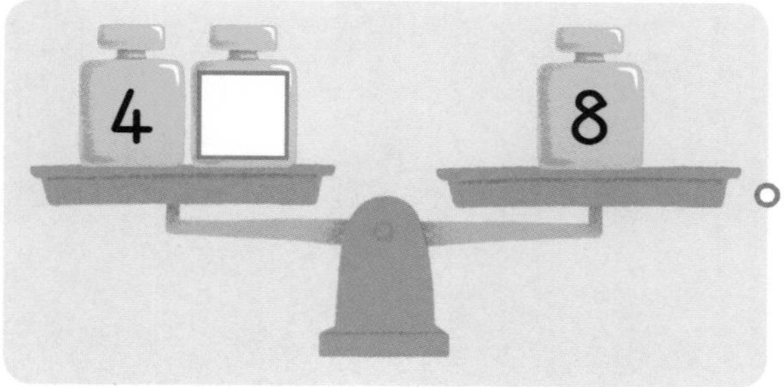

8 − 4 = □

3일 덧셈과 뺄셈

덧셈과 뺄셈에 알맞은 건물 딱지를 [ ] 안에 붙이세요.

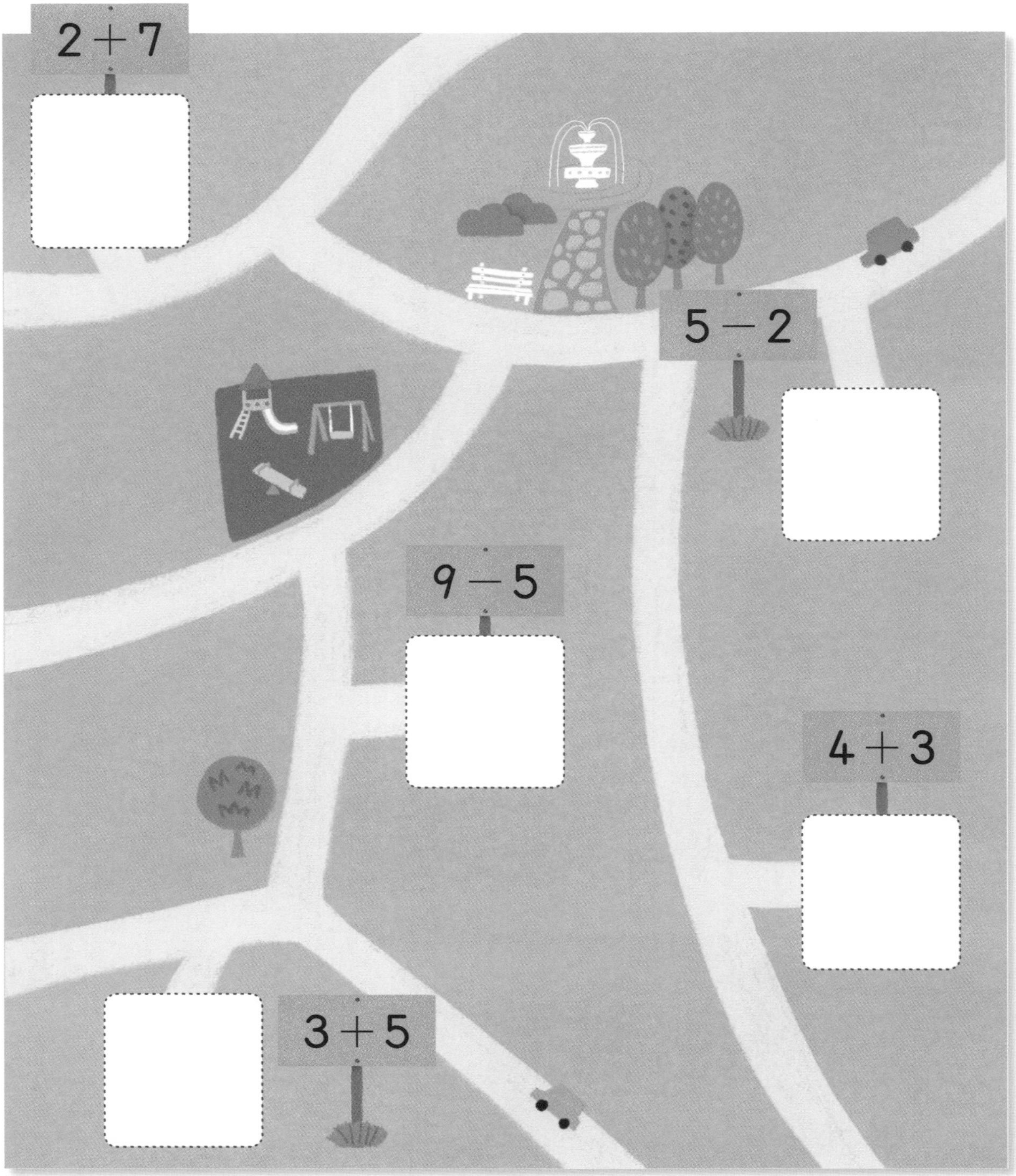

🐟 계산을 하세요.

$4 + 2 = \boxed{}$　　　　　$5 - 4 = \boxed{}$

$8 - 5 = \boxed{}$　　　　　$3 + 6 = \boxed{}$

$7 + 1 = \boxed{}$　　　　　$9 - 7 = \boxed{}$

$6 - 2 = \boxed{}$　　　　　$4 + 5 = \boxed{}$

$$\begin{array}{r} 8 \\ -\ 3 \\ \hline \boxed{} \end{array} \qquad \begin{array}{r} 2 \\ +\ 6 \\ \hline \boxed{} \end{array} \qquad \begin{array}{r} 7 \\ -\ 4 \\ \hline \boxed{} \end{array}$$

덧셈과 뺄셈의 관계

수 막대의 빈칸에 알맞은 수를 쓰고, 덧셈식 또는 뺄셈식을 완성하세요.

$$5 + 2 = 7$$
$$2 + 5 = 7$$

자를 사용하지 않아도 알 수 있어.

$$\square - \square = \square$$

$$\square + \square = \square$$

$$\square - \square = \square$$

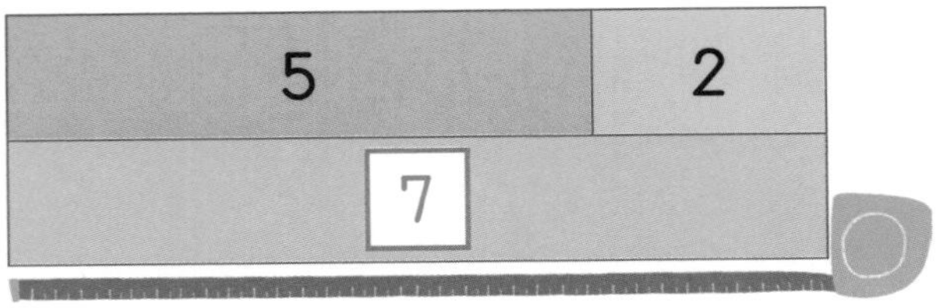

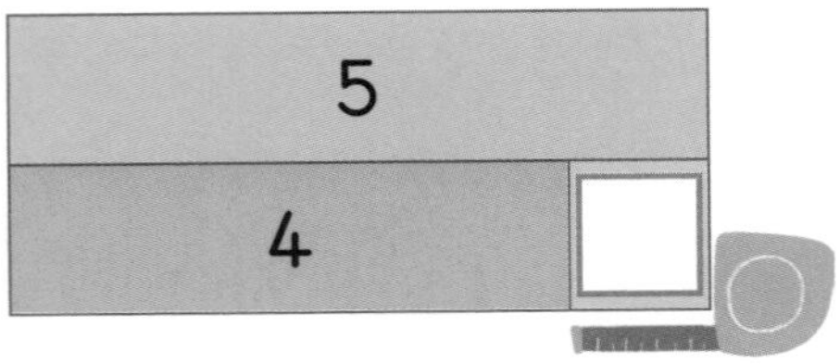

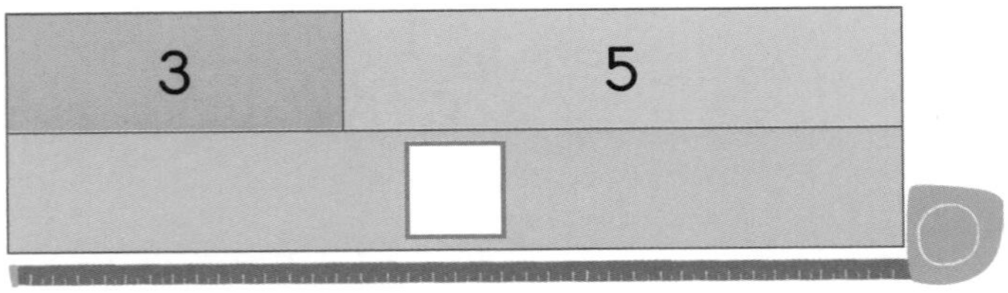

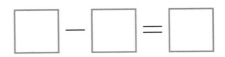

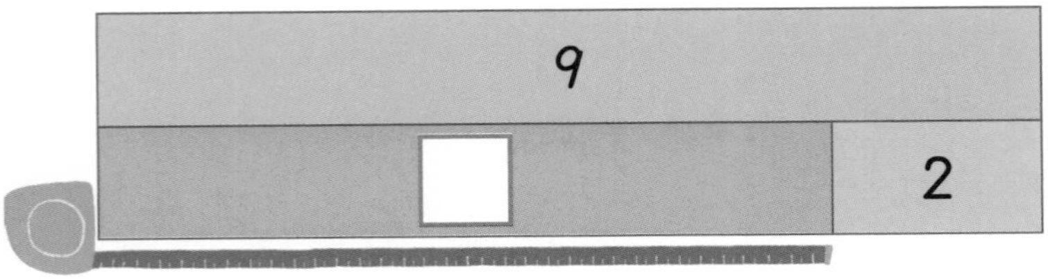

수 막대를 보고 만들 수 있는 덧셈식과 뺄셈식을 모두 쓰세요.

옆으로 붙은 막대끼리는 더해.

3	4
7	

위, 아래로 붙은 막대끼리는 빼.

3 + 4 = 7

4 + □ = □

덧셈

□ − □ = □

□ − □ = □

뺄셈

6	2
8	

□ + □ = □

□ + □ = □

덧셈

□ − □ = □

□ − □ = □

뺄셈

칸토 쌤 수 막대를 보고 덧셈과 뺄셈의 관계를 알아보는 활동이에요. 2층으로 된 수 막대를 보고 덧셈식과 뺄셈식이 2개씩 나올 수 있음을 알게 해 주세요. 덧셈과 뺄셈의 관계를 이용하면 □가 있는 덧셈식과 뺄셈식을 더 해결하기 쉬워요.

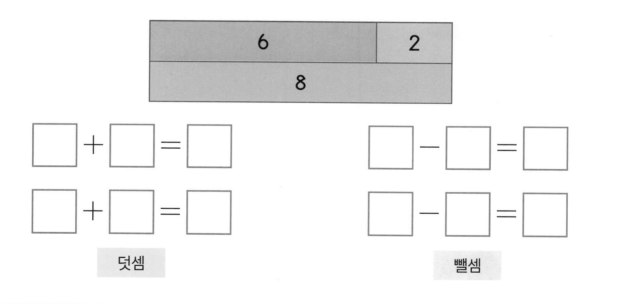

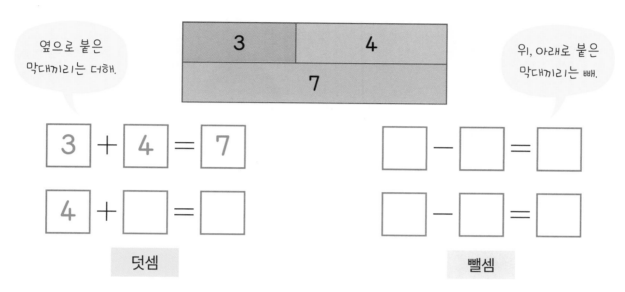

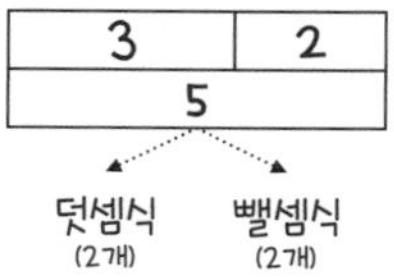

5일 합과 차

🐛 두 수의 합과 차를 구하세요.

합 **7** ⋯⋯ **2 5** ⋯⋯ 차 **3**

우리 나이의
합은 **7**살!

나이 차는
3살!

합 [ ] ⋯⋯ **4 1** ⋯⋯ 차 [ ]

합 [ ] ⋯⋯ **3 3** ⋯⋯ 차 [ ]

합 [ ] ⋯⋯ **7 2** ⋯⋯ 차 [ ]

합 [ ] ⋯⋯ **4 5** ⋯⋯ 차 [ ]

색연필

두 수의 합과 차에 맞는 두 수를 찾아 색칠하세요.

합 6 ·· (3, 4, 7, 2, 5) ·· 차 2

④+②=6   ④−②=2

합 4 ·· (6, 4, 1, 8, 3) ·· 차 2

합 8 ·· (3, 4, 5, 6, 4) ·· 차 0

더해서 8이 되는 두 수는 2가지만 있어.

합 7 ·· (4, 3, 1, 2, 5) ·· 차 1

합 9 ·· (9, 3, 6, 4, 5) ·· 차 3

합 8 ·· (1, 5, 4, 3, 7) ·· 차 6

칸토 쌤

□가 2개씩 있는 덧셈식과 뺄셈식에서 □를 찾는 문제예요. 주어진 수 중에서 합에 맞는 두 수를 찾은 후, 두 수의 차에 맞는지 확인하며 찾도록 지도해 주세요.

□+□=6 ①,②,3,④,⑤

⬇

□−□=2 1,②,3,④,5

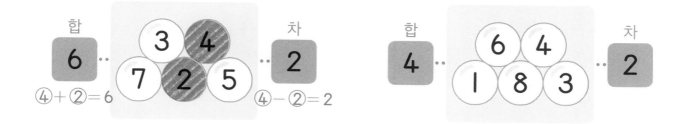

확인학습

계산을 하세요.

$7 + 1 = \square$　　$4 - 2 = \square$

$5 + 2 = \square$　　$9 - 6 = \square$

수 막대를 보고 만들 수 있는 덧셈식과 뺄셈식을 모두 쓰세요.

5	4
9	

$\square + \square = \square$　　$\square - \square = \square$

$\square + \square = \square$　　$\square - \square = \square$

색연필 두 수의 합과 차에 맞는 두 수를 찾아 색칠하세요.

합 7 … 6 2 1 4 5 … 차 3

➡ 31쪽으로 돌아가 3주 차 학습 기준을 달성했는지 체크해 보세요.

4주 세 수의 계산

학습 기준

- 가르기를 2번 할 수 있나요? □
- 세 수의 뺄셈을 할 수 있나요? □
- 세 수의 덧셈과 뺄셈을 할 수 있나요? □
- 연산 기호나 수를 넣어 세 수의 덧셈식과 뺄셈식을 만들 수 있나요? □

1일 이중 가르기

여러 번 가르기를 했어요. 빈칸에 알맞은 수를 쓰세요.

- 7
  - 5
    - 4
    - 1
  - 2

- 6
  - □
  - 3
    - 2
    - □

- 5
  - 2
    - 1
    - □
  - □
    - 1
    - □

- 9
  - □
    - 1
    - □
  - 4
    - □
    - 2

여러 번 가르기를 했어요. 빈칸에 알맞은 수를 쓰세요.

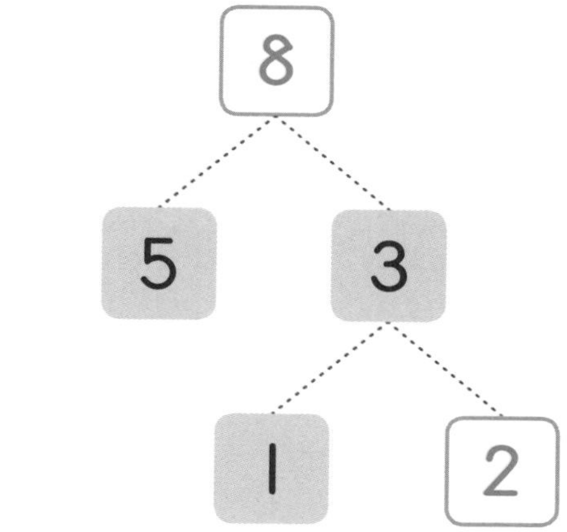

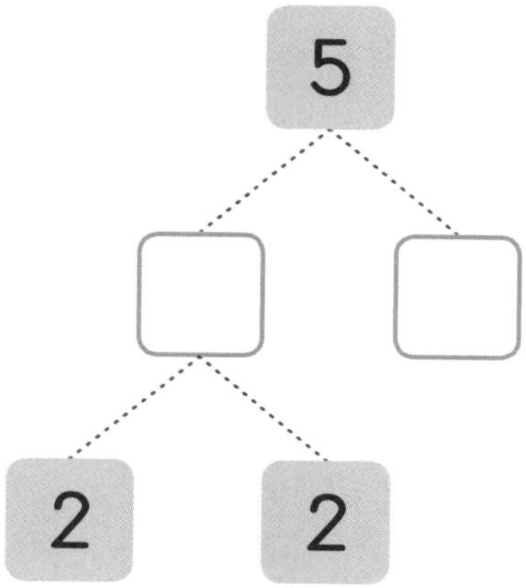

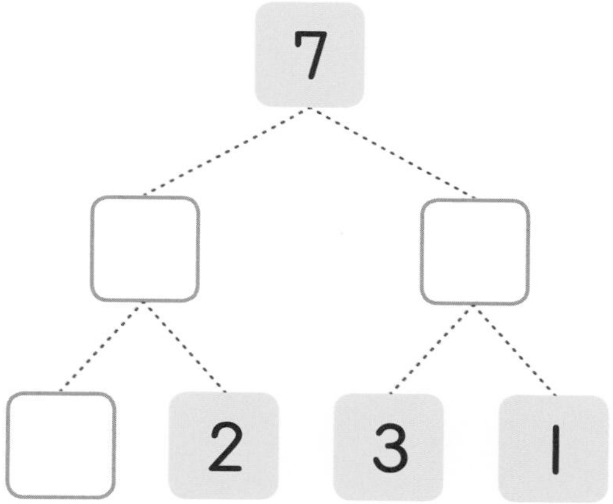

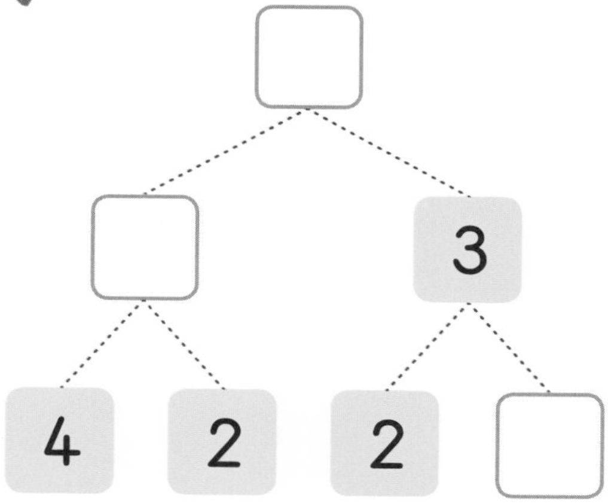

칸토 쌤

2일 차부터 나오는 세 수의 계산을 공부하기에 앞서 이중 가르기로 여러 번 가르기 연습을 해요. 가르기, 모으기가 잘 되어 있지 않은 아이는 계산이 자주 틀리고 시간이 오래 걸려요. 연산 감각을 키우기 위해서는 가르기, 모으기를 아무리 강조해도 지나치지 않답니다.

연산 감각
가르기·모으기

세 수의 뺄셈

 세 수의 뺄셈을 앞에서부터 차례로 계산하세요.

$$5 - 2 - 1 = \boxed{2}$$

$$\boxed{3} - 1$$

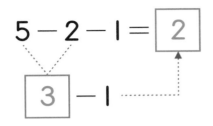

빵이 **5**개 있었어.
어제는 **2**개,

오늘은 **1**개 먹었어.
몇 개 남았어?

$$9 - 3 - 5 = \boxed{}$$

$$\boxed{} - 5$$

$$8 - 4 - 2 = \boxed{}$$

$$\boxed{} - 2$$

$$7 - 2 - 1 = \boxed{}$$

$$\boxed{} - 1$$

$$9 - 1 - 4 = \boxed{}$$

세 수의 뺄셈을 하세요.

6 → (−3) → □ → (−3) → □

8 → (−4) → □ → (−1) → □

7 → (−2) → □ → (−4) → □

9 → (−3) → □ → (−2) → □

$5 - 4 - 1 = \square$

$8 - 3 - 4 = \square$

$7 - 1 - 5 = \square$

$6 - 2 - 2 = \square$

$9 - 2 - 4 = \square$

$4 - 1 - 2 = \square$

칸토 쌤 | 두 수의 뺄셈에서 수를 하나 더 늘려 세 수의 뺄셈을 해 봅니다. 앞 두 수의 뺄셈 결과를 기억한 후 한 번 더 빼야 하므로 아이들이 어려워해요. 두 수의 차를 종이에 쓴 후 한 번 더 뺄 수 있게 도와주세요. 손가락을 이용해도 좋습니다.

$7 - 3 - 2 = \square$

4

4 빼기 2

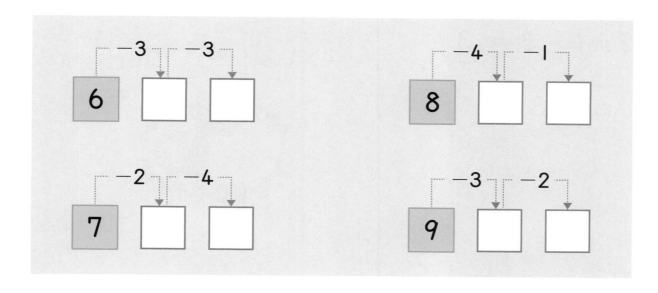

3일 세 수의 계산

🐛 세 수의 덧셈과 뺄셈을 앞에서부터 차례로 계산하세요.

$2 + 4 - 3 = \boxed{3}$

$\boxed{6} - 3$

울타리 안에 양 2마리가 있었어.

4마리가 들어오고 3마리가 나갔어. 몇 마리 남았어?

$5 - 1 + 2 = \boxed{}$

$\boxed{} + 2$

$4 + 2 - 5 = \boxed{}$

$\boxed{} - 5$

$8 - 3 + 4 = \boxed{}$

$\boxed{} + 4$

$7 - 1 - 3 = \boxed{}$

세 수의 덧셈과 뺄셈을 하세요.

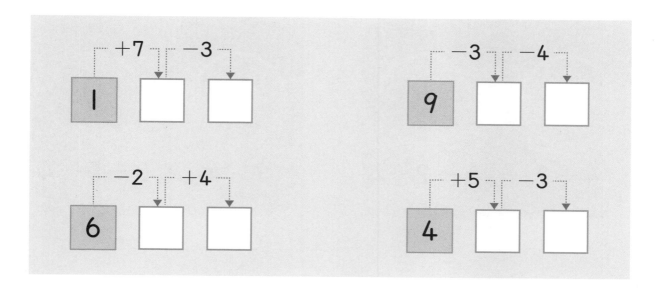

$2 + 5 - 1 = \boxed{}$

$5 - 4 + 3 = \boxed{}$

$7 - 1 - 4 = \boxed{}$

$3 + 3 + 2 = \boxed{}$

$5 - 3 + 5 = \boxed{}$

$4 + 2 + 1 = \boxed{}$

 칸토 쌤   더하기와 빼기가 섞여 있는 세 수의 계산을 공부해요. 앞에서부터 차례로 계산 하지 않으면 계산 결과가 달라지는 경우가 있어요. 이것에 주의하여 연산 기호 를 잘 보고 계산할 수 있게 지도해 주세요.

$5 - 2 + 1 = \boxed{}$
$5 - 3 = 2$ (×)

4일 세 수의 계산 연습

계산 결과가 더 큰 곳(Ⓗ)에 딱지를 붙이세요.

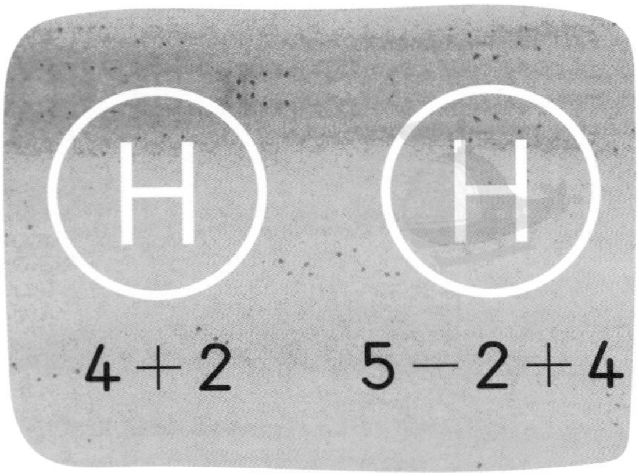

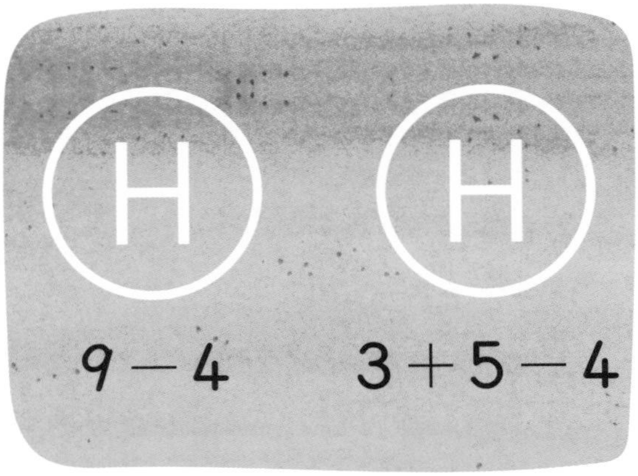

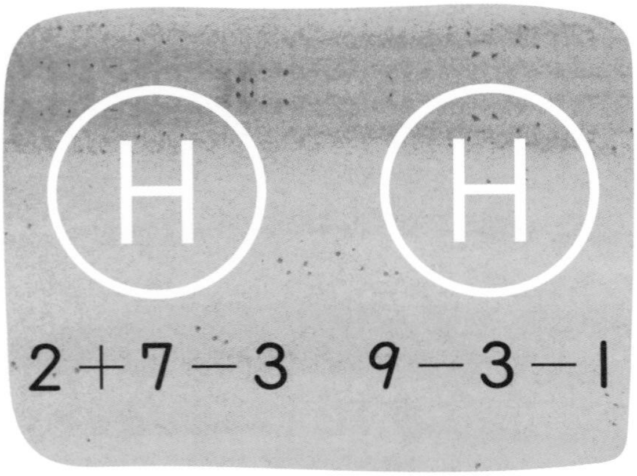

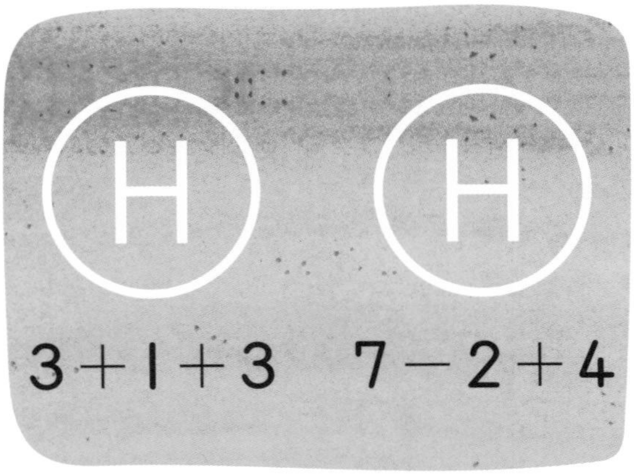

계산 결과에 맞는 글자를 찾아 빈칸에 쓰세요.

을

$7-5+1$

봐

$8-4+3$

원

$4+4-6$

소

$6-5$

해

$9-1-3$

말

$5+2-3$

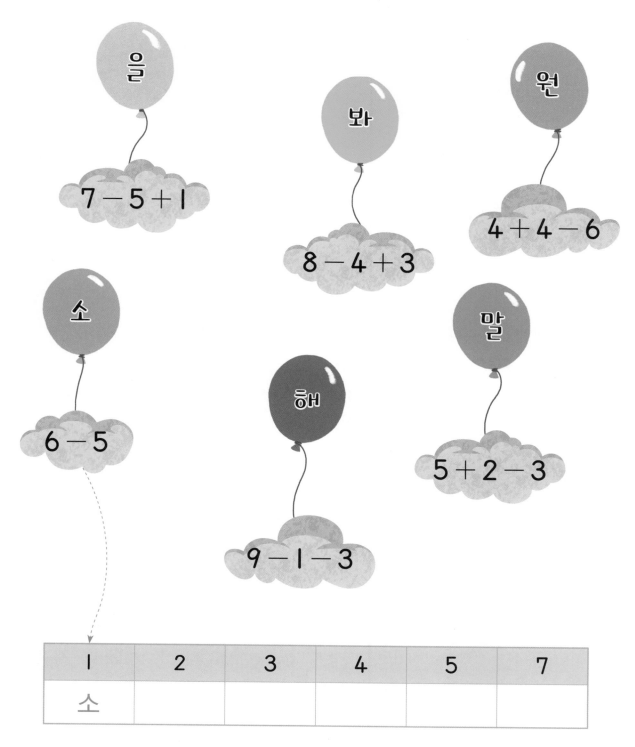

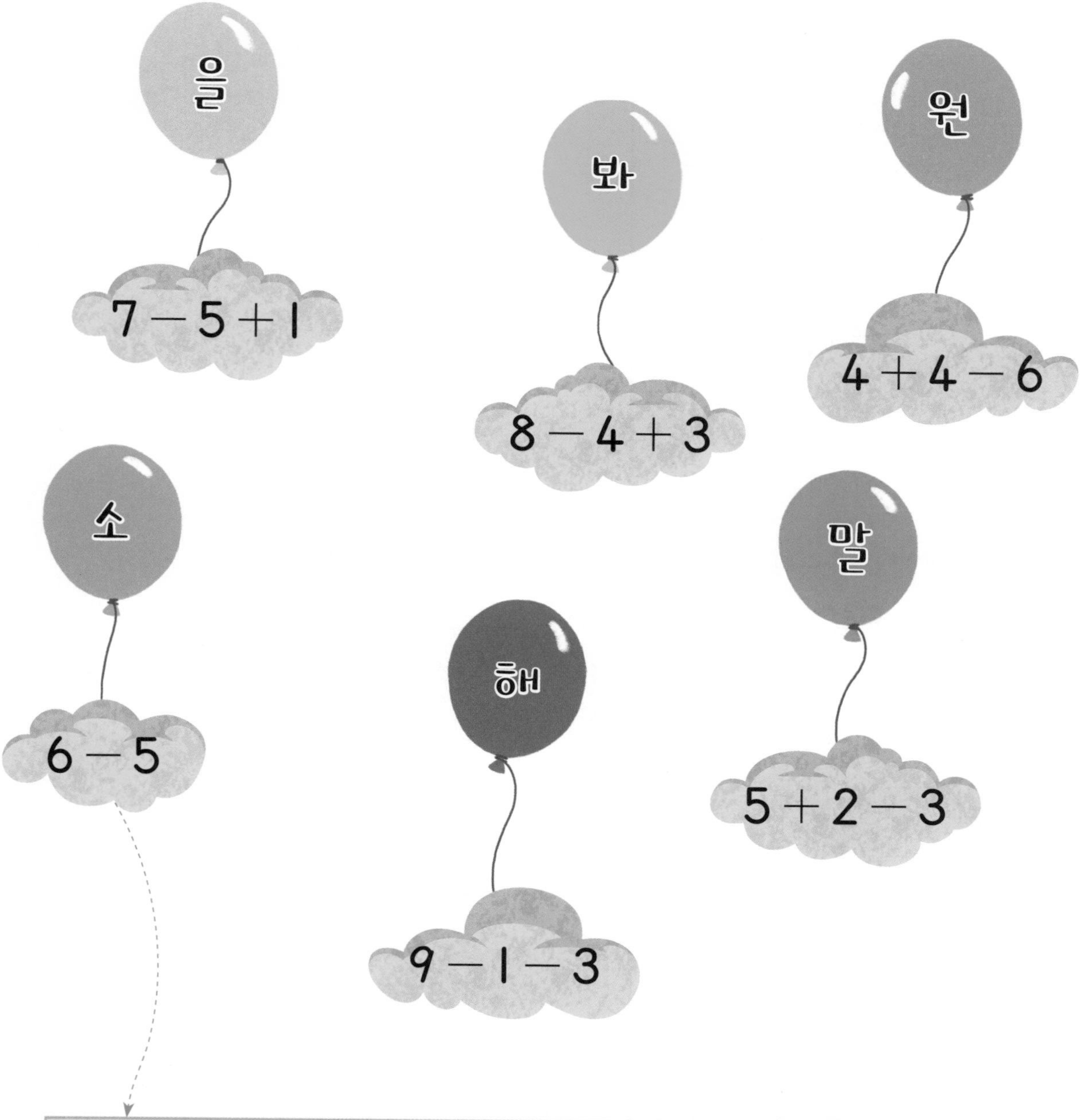

1	2	3	4	5	7
소					

5일 연산 기호 넣기

◯ 안에 + 또는 −를 알맞게 쓰세요.

2 (+) 1 = 3	4 ◯ 2 = 2
5 ◯ 4 = 1	6 ◯ 3 = 9
4 (+) 3 ◯ 1 = 8	6 ◯ 2 ◯ 3 = 5
9 ◯ 5 ◯ 1 = 5	5 ◯ 1 ◯ 1 = 3

계산에 맞게 길을 그리세요.

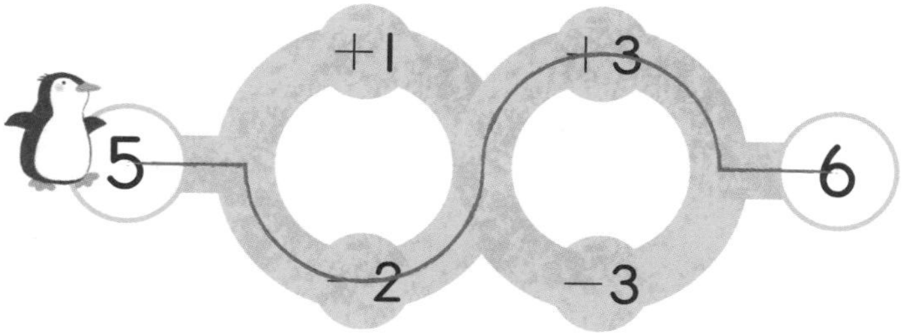

5−2+3=6

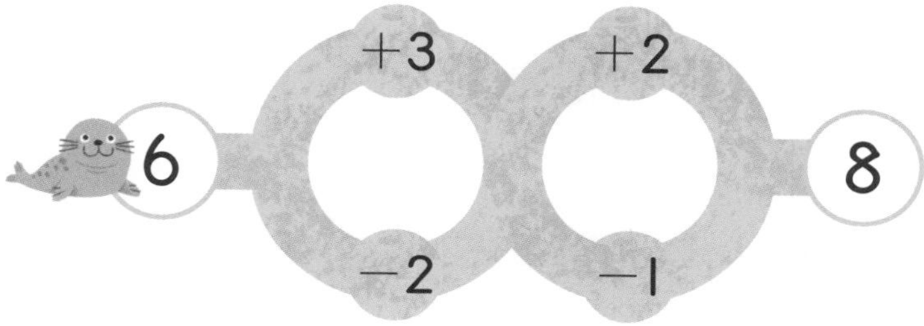

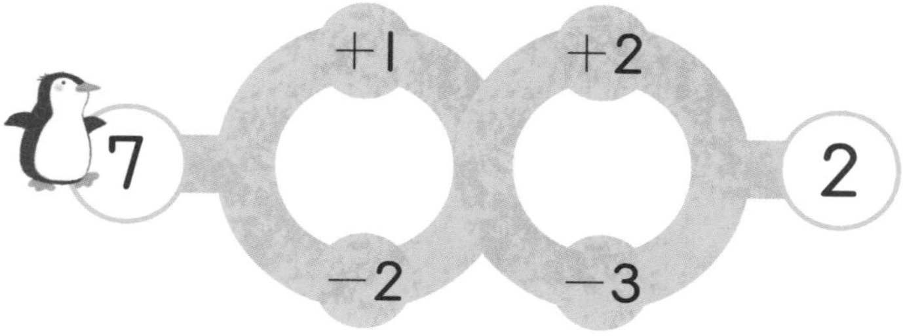

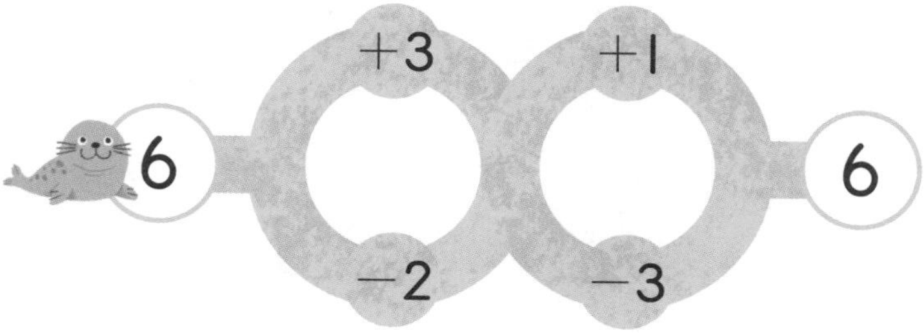

칸토 쌤

□가 있는 세 수의 계산에서 연산 기호와 수를 구하는 문제예요. 아이들이 시행착오를 통해 문제를 해결할 수 있어요. 하지만 처음 수와 계산 결과를 비교하여 수가 커져야 하는지 작아져야 하는지를 생각하며 해결하도록 도와 주세요.

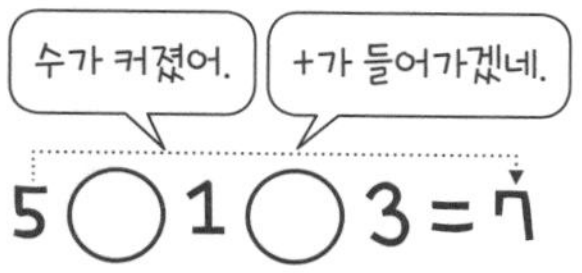

확인학습

계산을 하세요.

$5+2-3=\square$　　　$4+1+2=\square$

$8-4-1=\square$　　　$7-5+7=\square$

$2+6-3=\square$　　　$9-4-4=\square$

계산에 맞게 길을 그리세요.

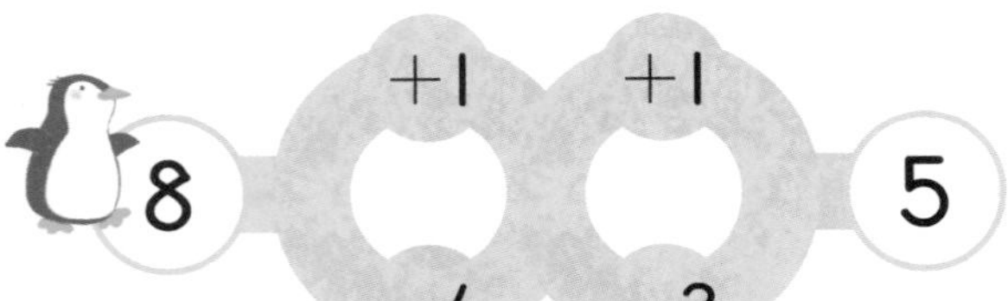

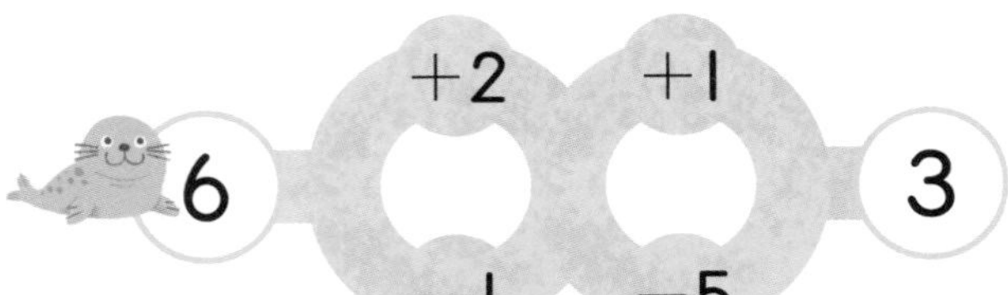

➡ 43쪽으로 돌아가 4주 차 학습 기준을 달성했는지 체크해 보세요.

마무리 평가

마무리 평가에서는 1, 2, 3, 4주 차의 유형이 순서대로 나옵니다.
문제가 틀리면 몇 주 차인지 확인하여 반드시 다시 한번 복습합니다.

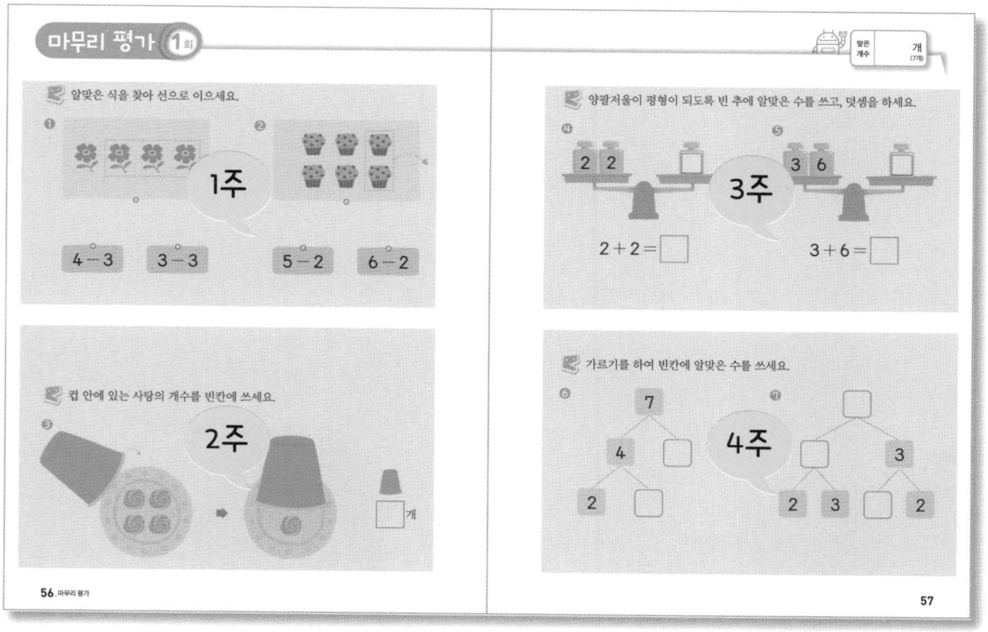

마무리 평가 1회

알맞은 식을 찾아 선으로 이으세요.

❶

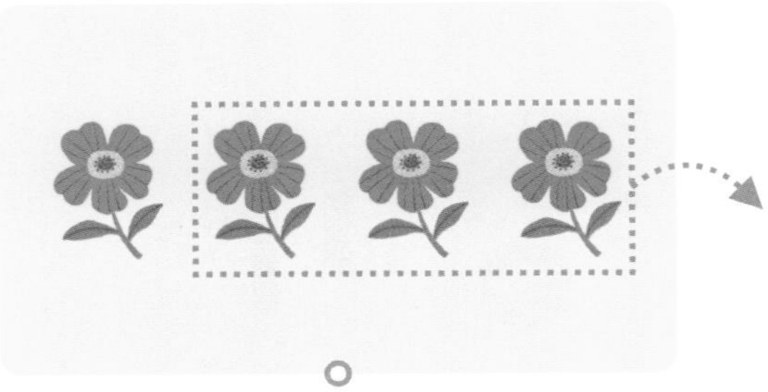

❷

4 − 3	3 − 3	5 − 2	6 − 2

컵 안에 있는 사탕의 개수를 빈칸에 쓰세요.

❸

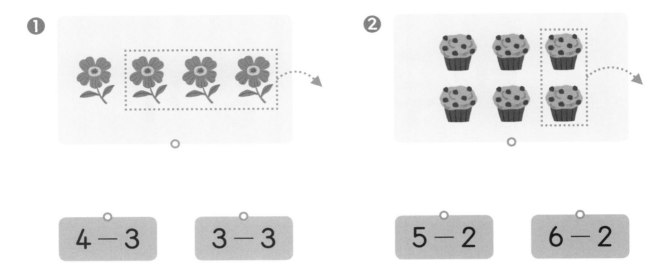

☐개

양팔저울이 평형이 되도록 빈 추에 알맞은 수를 쓰고, 덧셈을 하세요.

❹

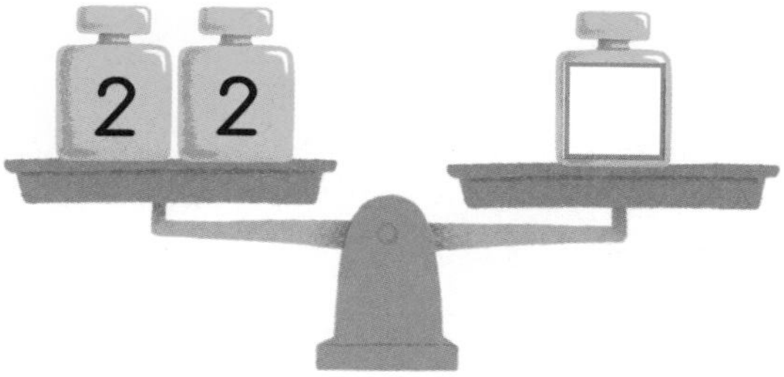

$2 + 2 = \square$

❺

$3 + 6 = \square$

가르기를 하여 빈칸에 알맞은 수를 쓰세요.

❻

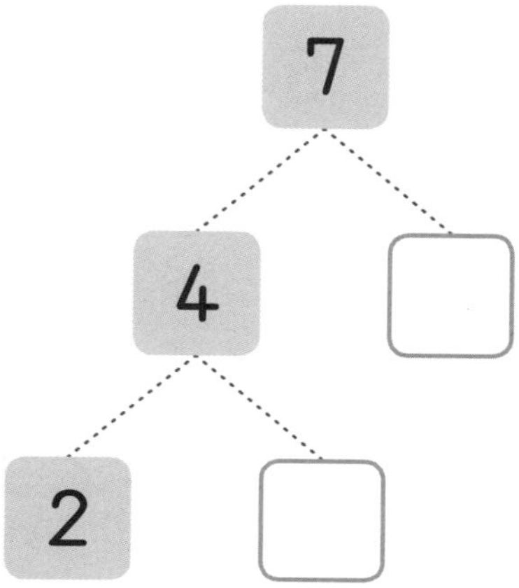

❼

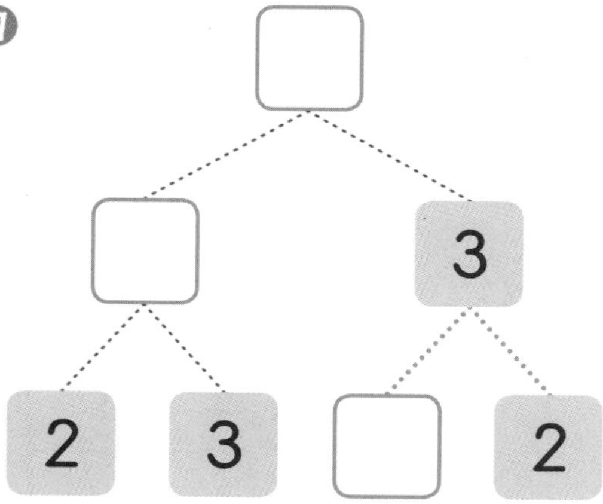

마무리 평가 2회

그림을 보고 뺄셈을 하세요.

❶

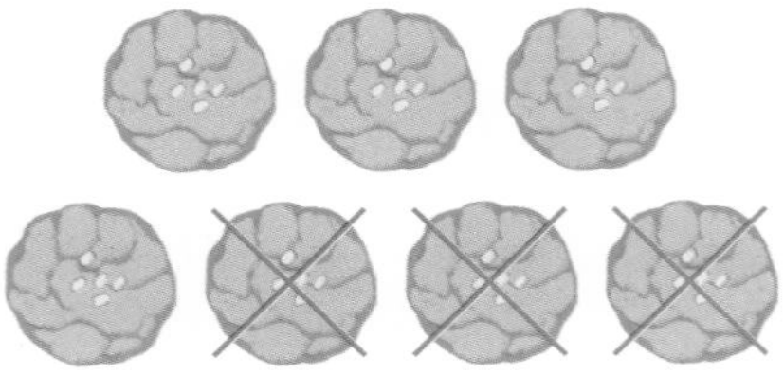

$7-3=\square$

❷

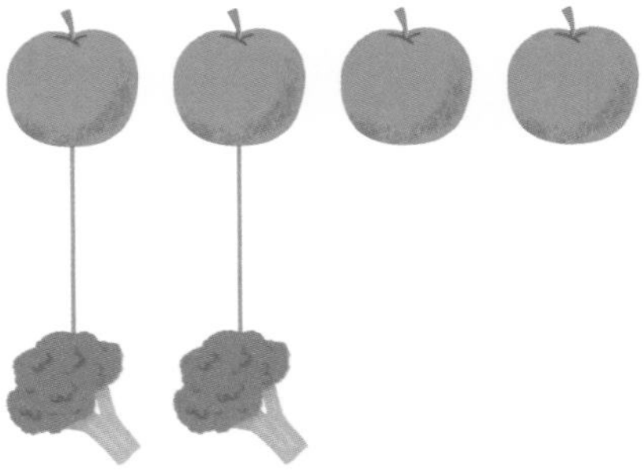

$4-2=\square$

화살표를 그려 빈칸에 알맞은 수를 구하세요.

❸

1	2	3	4	5	6	7	8	9

$5-\square=2$

❹

1	2	3	4	5	6	7	8	9

$\square-2=7$

양팔저울이 평형이 되도록 빈 추에 알맞은 수를 쓰고, 뺄셈을 하세요.

❺

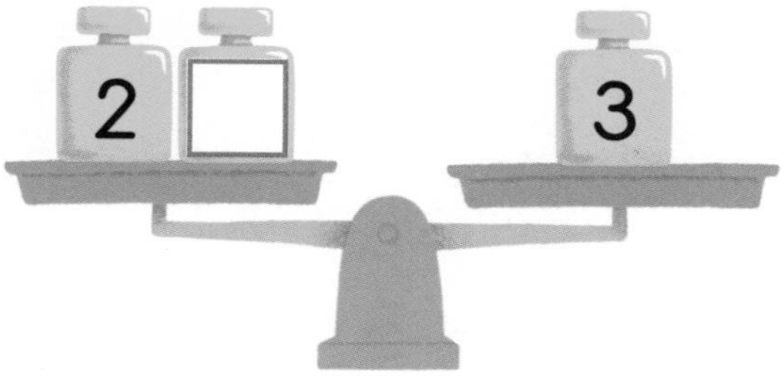

3 − 2 = □

❻

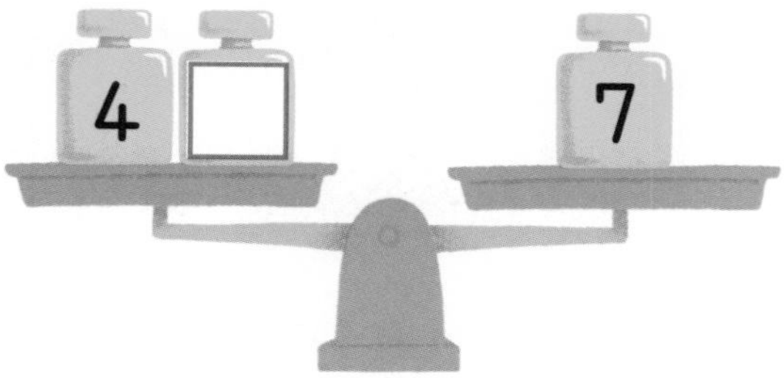

7 − 4 = □

계산을 하세요.

❼ 6 − 1 − 2 = □

❽ 9 − 2 − 5 = □

❾ 8 − 3 − 1 = □

❿ 7 − 4 − 2 = □

마무리 평가 3회

빼는 수만큼 /으로 지워 뺄셈을 하세요.

❶

$5 - 4 = \square$

❷

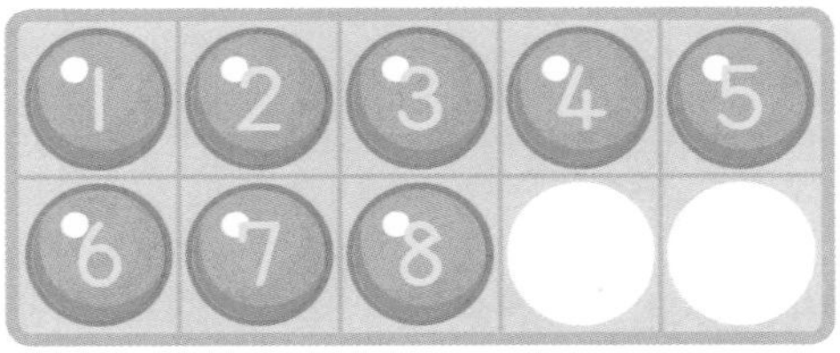

$8 - 5 = \square$

●를 /으로 지우거나, 지운 것을 ∅로 나타내어 빈칸에 알맞은 수를 구하세요.

❸

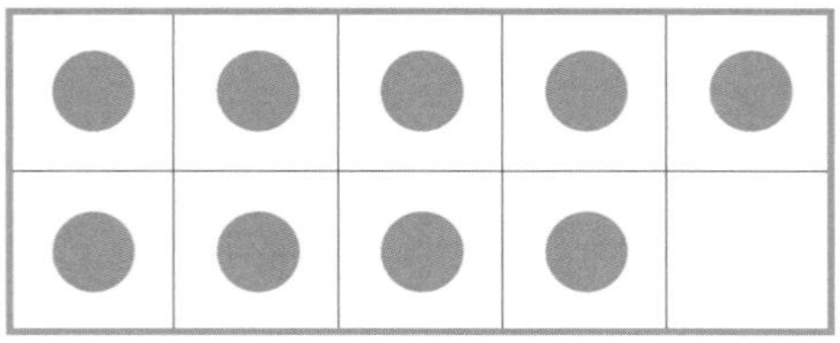

$9 - \square = 6$

❹

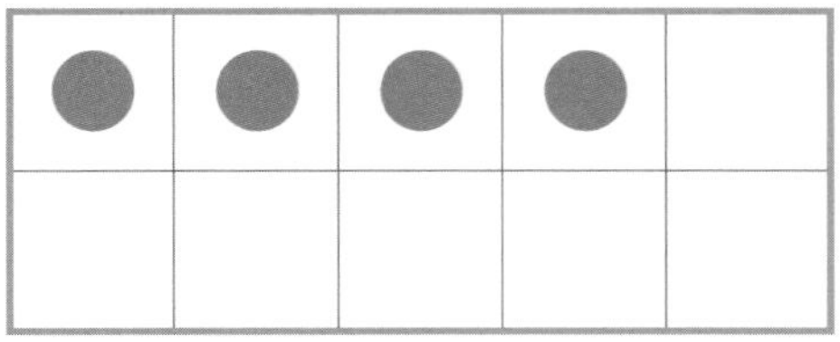

$\square - 1 = 4$

맞은 개수 개 (9개)

계산을 하세요.

❺ $5+2=\square$

❻ $7-6=\square$

❼
$$\begin{array}{r} 6 \\ -\ 4 \\ \hline \square \end{array}$$

계산 결과가 더 큰 종이에 ◯표 하세요.

❽ $4+3-2$ $3-1+4$

❾ $8-5+5$ $7-6+4$

마무리 평가 4회

화살표를 그려 뺄셈을 하세요.

❶

3	4	5	6	7

$7-2=\square$

❷

2	3	4	5	6

$6-3=\square$

올바른 덧셈식과 뺄셈식이 되도록 빈칸에 알맞은 수를 쓰세요.

	7				
❸	−	6	=	2	
	❹			+	
	=			❻	
	3	+	❺	=	4
				9	

수 막대의 빈칸에 알맞은 수를 쓰고, 덧셈식 또는 뺄셈식을 완성하세요.

❼

2	□
5	

□ − □ = □

❽

4	4
□	

□ + □ = □

○ 안에 + 또는 −를 알맞게 쓰세요.

❾ 7 ○ 3 = 4

❿ 5 ○ 4 = 9

⓫ 6 ○ 1 ○ 2 = 5

⓬ 3 ○ 2 ○ 3 = 8

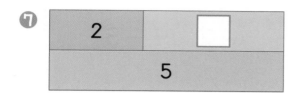

마무리 평가 5회

관계있는 것끼리 선으로 이으세요.

❶ 5 − 3

3　1　2

❷ 9 − 5

3　4　5

□ 안에 알맞은 두 수를 찾아 선으로 이으세요.

❸ □ − □ = 7

8　2　6　3　9　5

❹ □ − □ = 2

5　2　8　6　1　9

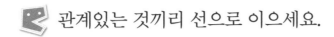

두 수의 합과 차에 맞는 두 수를 찾아 색칠하세요.

❺

합 6 ··· 2 5 1 4 3 ··· 차 4

❻

합 9 ··· 7 6 2 5 4 ··· 차 1

계산에 맞게 길을 그리세요.

❼

3 +1 +2 4
   −1 −1

❽

6 +2 +1 5
   −3 −3

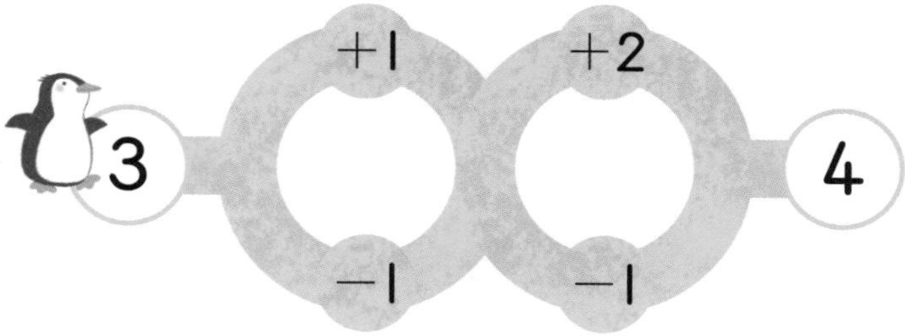

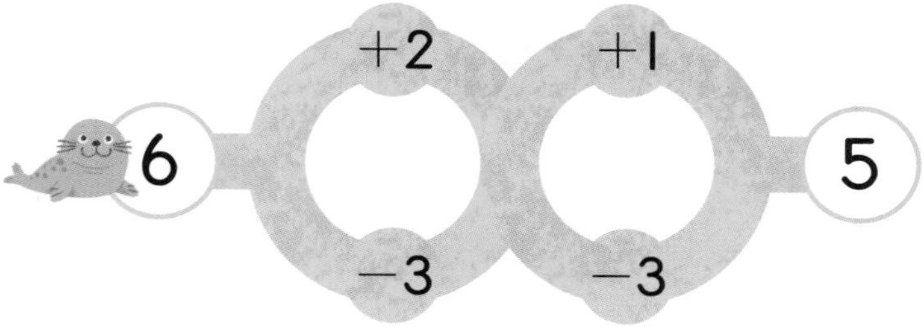

실력 평가 ➡ 67쪽

MEMO

실력 평가

7세 2권

시간	3분	문제 수	20개
배점	1문제 5점 / 총 100점		

날짜: ____ 월 ____ 일

이름: ____________

점수: ________ 점

사고가 자라는 수학
씨투엠

❶ $4 - 2 =$

❷ $6 - 1 =$

❸ $5 - 4 =$

❹ $8 - 3 =$

❺ $9 - 7 =$

❻ $6 - 3 =$

❼ $7 - 6 =$

❽ $9 - 5 =$

❾ $6 - 6 =$

❿ $7 - 1 =$

⑪ $8 - 4 =$

⑫ $4 - 1 =$

⑬ $6 - 5 =$

⑭ $9 - 1 =$

⑮ $5 - 3 =$

⑯ $4 - 0 =$

⑰ $8 - 6 =$

⑱ $3 - 2 =$

⑲ $7 - 5 =$

⑳ $9 - 4 =$

유아 연산의 기준

칸토의 연산

정답

9까지의 뺄셈과

덧셈·뺄셈

정답

1주: 한 자리 수의 뺄셈

1일 그림 뺄셈(1)

2일 그림 뺄셈(2)

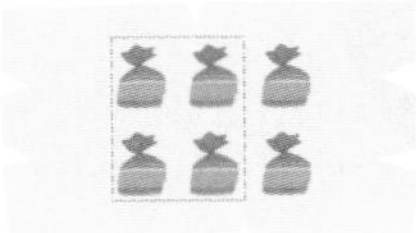

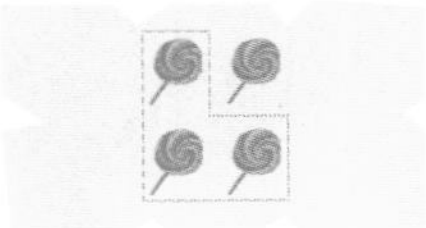

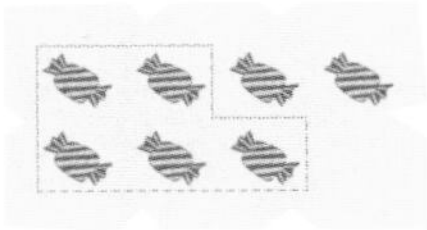

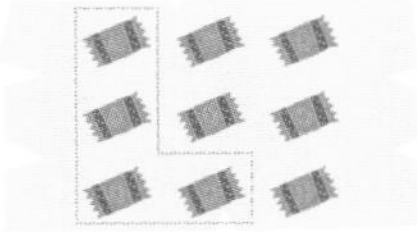

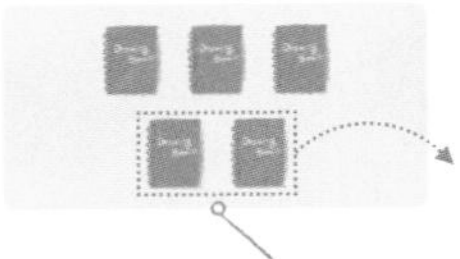

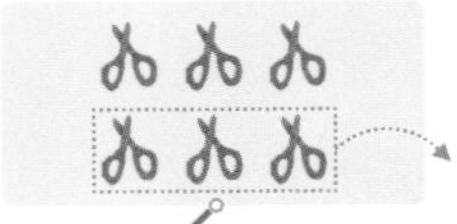

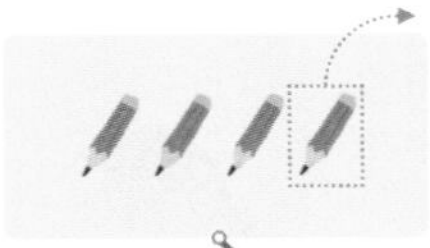

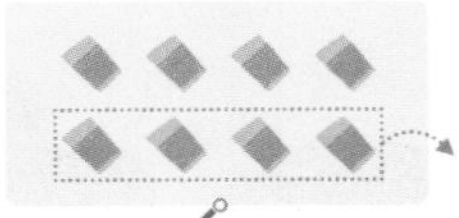

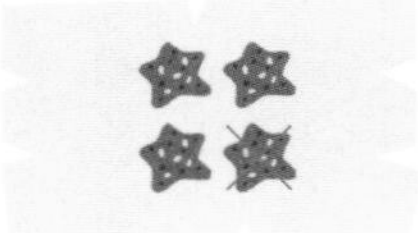

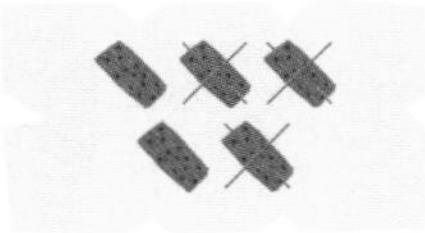

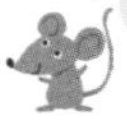

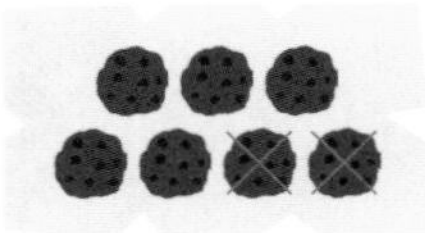

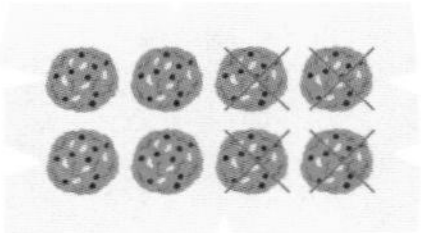

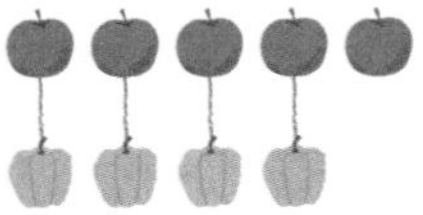

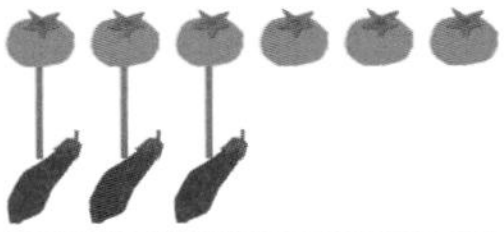

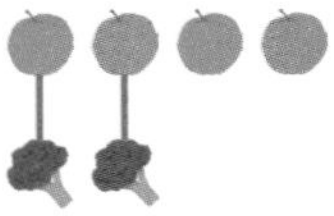

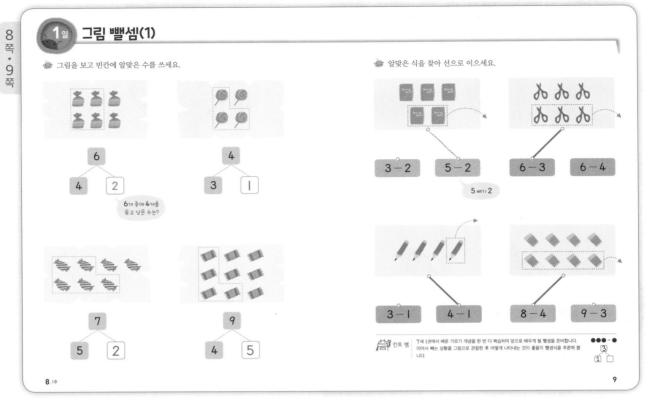

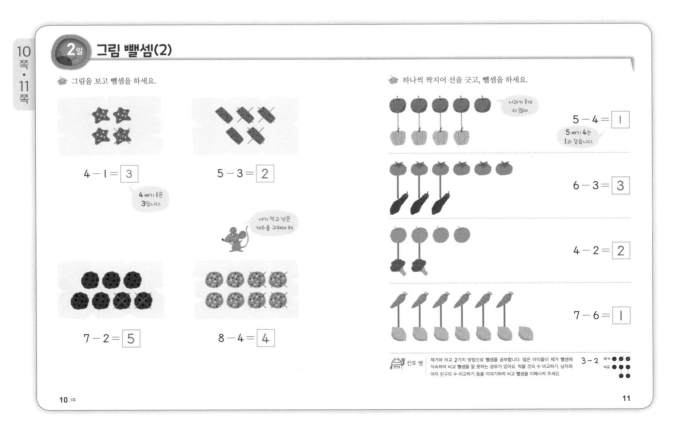

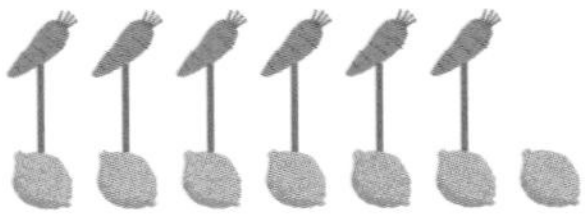

3일 계란판 뺄셈

🐛 빼는 수만큼 /으로 지워 뺄셈을 하세요.

달걀 **7**개 중에서 **2**개 가져갔어.

힝~ 우리 아이들이 얼마나 낳은 거야?

$7 - 2 = 5$

$5 - 3 = 2$ $8 - 4 = 4$

$7 - 1 = 6$ $9 - 6 = 3$

🐛 빼지는 수만큼 ◯를 그리고, 빼는 수만큼 ◯를 /으로 지워 뺄셈을 하세요.

$6 - 2 = 4$ $5 - 4 = 1$
빼지는 수 빼는 수

$4 - 2 = 2$ $8 - 5 = 3$

$9 - 4 = 5$ $7 - 3 = 4$

🚂 칸토 쌤 : 계란판을 이용하여 뺄셈을 하는 활동이에요. 계란판은 5씩 위 아래로 나누어져 있어 덧셈·뺄셈을 직관적으로 쉽게 해줘요. 계란판에 순서에 맞게 ◯를 그린 후 /표 하여 빼기를 할 수 있어야 해요.

7-3

4일 뛰어 뺄셈과 수 막대 뺄셈

🐛 화살표를 그려 뺄셈을 하세요.

6에서 거꾸로 2번 뛰어.

        $6 - 2 = 4$

        $8 - 1 = 7$

        $5 - 3 = 2$

        $9 - 4 = 5$

🐛 수 막대의 ☐ 안에 알맞은 수를 쓰고, 뺄셈을 하세요.

$5 - 2 = 3$ $6 - 1 = 5$

우리 막대는 아래 막대보다 얼마나 더 길어?

$4 - 3 = 1$ $7 - 3 = 4$

🚂 칸토 쌤 : 뛰어 세기로 뺄셈을 공부해요. 뛰어 세기는 아이들이 가르기, 모으기를 배우기 전에 덧셈·뺄셈에 사용하는 방법이에요. 주로 더하거나 빼는 수가 작을 때 사용해요.

8-2

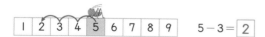

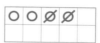

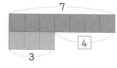

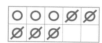

5일 한 자리 수의 뺄셈 연습

갈매기가 물고기를 잡아요. 관계있는 물고기를 알맞게 붙이세요.

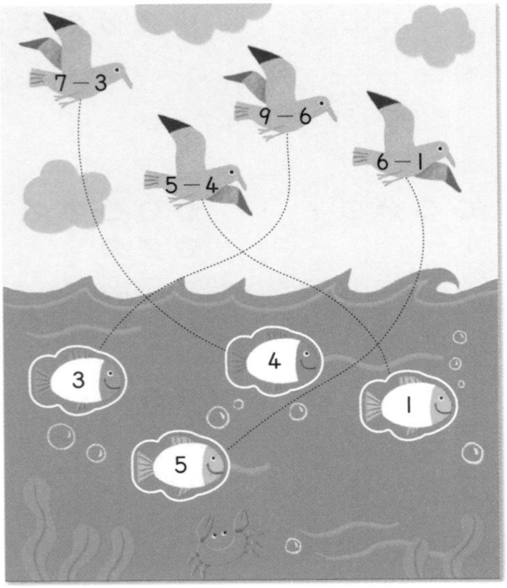

7 − 3
9 − 6
6 − 1
5 − 4

3

4
1
5

뺄셈을 하세요.

$7 - 2 = \boxed{5}$　　　　$5 - 4 = \boxed{1}$

$4 - 1 = \boxed{3}$　　　　$8 - 6 = \boxed{2}$

$9 - 3 = \boxed{6}$　　　　$6 - 2 = \boxed{4}$

$8 - 4 = \boxed{4}$　　　　$9 - 7 = \boxed{2}$

$$\begin{array}{r} 6 \\ -\ 3 \\ \hline \boxed{3} \end{array} \qquad \begin{array}{r} 8 \\ -\ 5 \\ \hline \boxed{3} \end{array} \qquad \begin{array}{r} 9 \\ -\ 4 \\ \hline \boxed{5} \end{array}$$

확인학습

빼지는 수만큼 ○를 그리고, 빼는 수만큼 ○를 /으로 지워 뺄셈을 하세요.

○	○	○	Ø	Ø

$5 - 2 = \boxed{3}$

○	○	○	○	○
Ø	Ø	Ø		

$8 - 3 = \boxed{5}$

화살표를 그려 뺄셈을 하세요.

1	2	3	4	5

$4 - 3 = \boxed{1}$

5	6	7	8	9

$9 - 2 = \boxed{7}$

뺄셈을 하세요.

$$\begin{array}{r} 5 \\ -\ 4 \\ \hline \boxed{1} \end{array} \qquad \begin{array}{r} 9 \\ -\ 3 \\ \hline \boxed{6} \end{array} \qquad \begin{array}{r} 7 \\ -\ 5 \\ \hline \boxed{2} \end{array}$$

➡ 7쪽으로 돌아가 1주 차 학습 기준을 달성했는지 체크해 보세요.

1주

2주: □가 있는 뺄셈

1일 □가 있는 그림 뺄셈

컵 안에는 사탕이 몇 개 있을까요? 컵 위에 사탕 딱지를 붙여 구하세요.

주먹 안에는 구슬이 몇 개 있을까요?

2일 □가 있는 뛰어 뺄셈

화살표를 그려 빈칸에 알맞은 수를 구하세요.

화살표를 그려 빈칸에 알맞은 수를 구하세요.

칸토 셈 □가 있는 뺄셈을 뛰어 세기로 알아보는 활동이에요. 아이들 대부분이 계산 결과를 구하는 것에만 익숙하여 어려워하는 문제예요. □가 뒤에 있을 때보다 앞에 있을 때 더 어려워하므로 위와 같이 표를 그려 수의 순서를 이용할 수 있게 도와주세요.

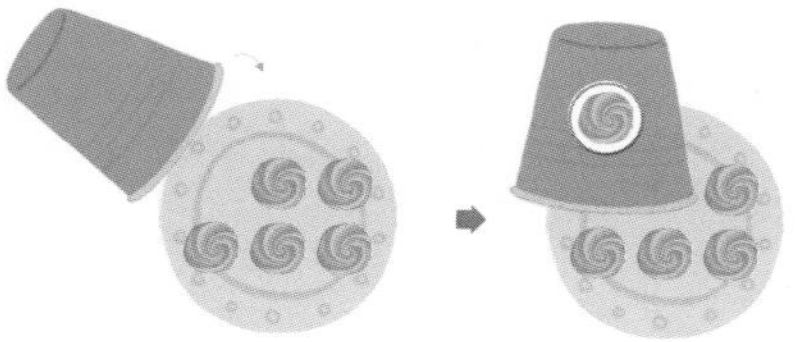

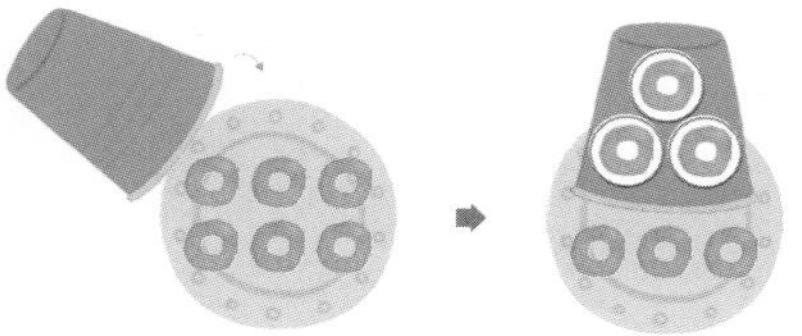

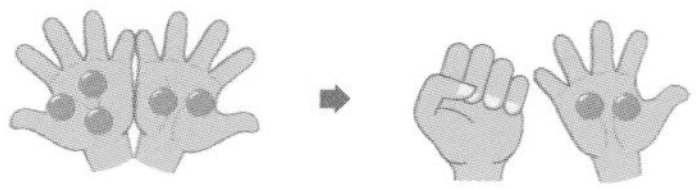

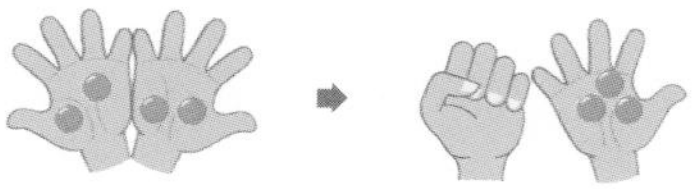

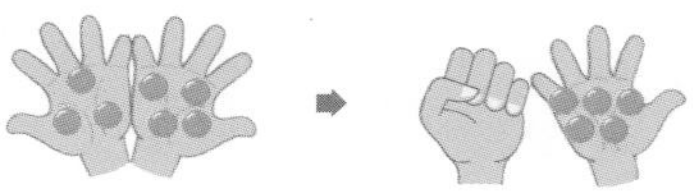

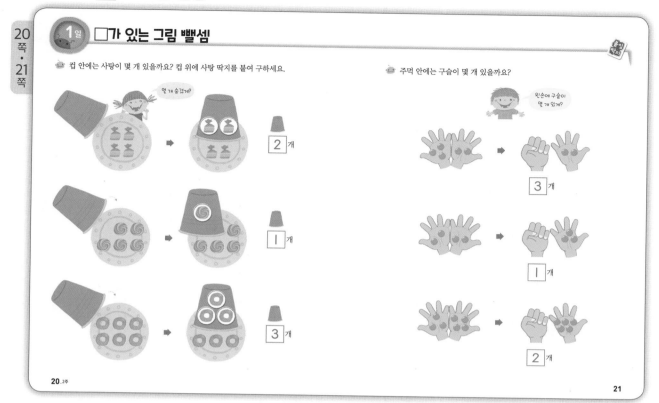

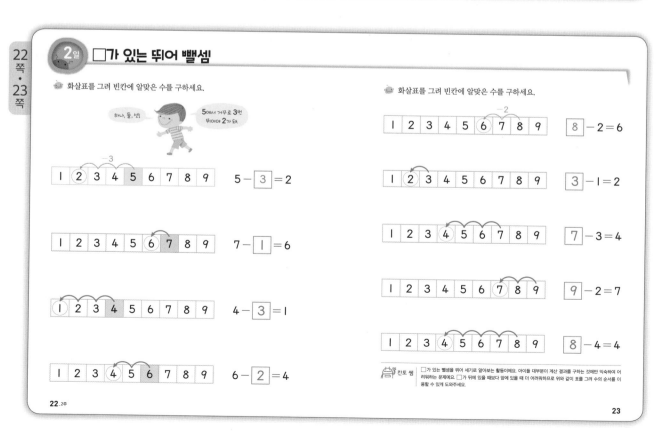

3일 □가 있는 계란판 뺄셈

●를 /으로 지워 빈칸에 알맞은 수를 구하세요.

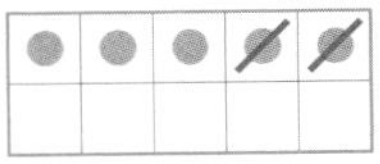

계란 5개가 있었는데 3개가 남았어.

여우가 몇 개를 훔쳐간 거야?

$5 - \boxed{2} = 3$

$4 - \boxed{4} = 0$

$8 - \boxed{3} = 5$

$9 - \boxed{1} = 8$

$7 - \boxed{5} = 2$

지운 것을 ∅로 나타내어 빈칸에 알맞은 수를 구하세요.

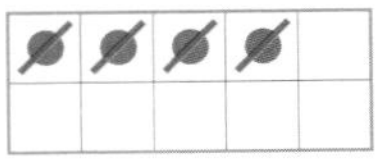

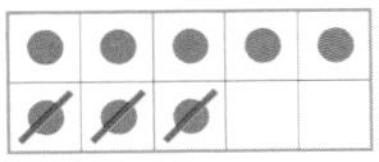

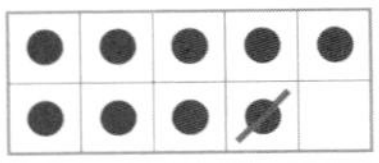

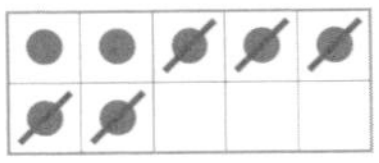

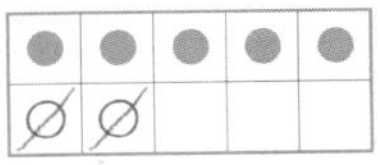

내가 계란 2개를 가져간 후 5개가 남았어.

원래는 2개가 더 있던 거지.

$\boxed{7} - 2 = 5$
지운 수

$\boxed{5} - 1 = 4$

$\boxed{6} - 3 = 3$

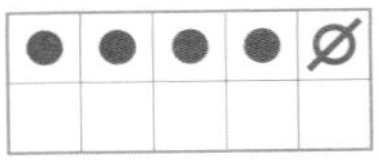

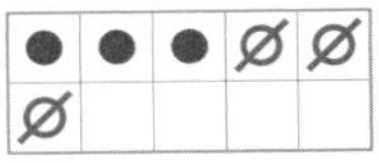

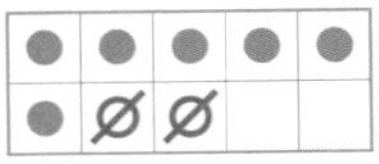

$8 - 2 = 6$

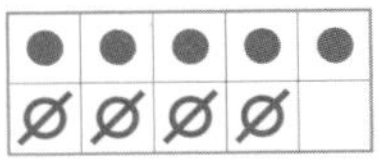

$9 - 4 = 5$

칸토 쌤 □가 있는 뺄셈을 계란판으로 알아보는 활동이에요. □가 있는 뺄셈은 수식만 보고 풀기에는 아이들이 많이 어려워해요. 수직선이나 계란판 외에도 이야기를 이용하여 아이가 상황을 이해할 수 있게 도와주세요.

바나나는 5개 있으면 좋아요

4일 □가 있는 뺄셈 연습

올바른 뺄셈식이 되도록 빈칸에 알맞은 수를 쓰세요.

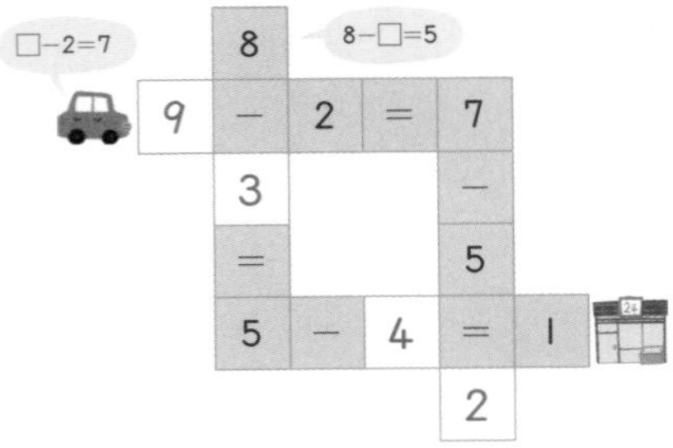

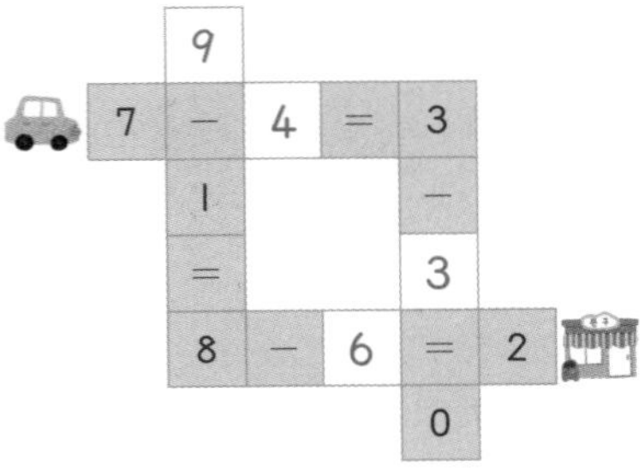

빈칸에 알맞은 수를 쓰세요.

$6 - \boxed{4} = 2$　　$\boxed{8} - 4 = 4$

$\boxed{6} - 1 = 5$　　$5 - \boxed{4} = 1$

$7 - \boxed{4} = 3$　　$\boxed{9} - 2 = 7$

$\boxed{9} - 3 = 6$　　$6 - \boxed{3} = 3$

$$\begin{array}{r} 5 \\ -\boxed{3} \\ \hline 2 \end{array} \qquad \begin{array}{r} \boxed{7} \\ -4 \\ \hline 3 \end{array} \qquad \begin{array}{r} 8 \\ -\boxed{1} \\ \hline 7 \end{array}$$

5일 차 만들기

1부터 9까지의 수 중 빈칸에 알맞은 수를 모두 쓰세요.

3이 되는 뺄셈

$4 - 1 = 3$

$5 - 2 = 3$

$6 - 3 = 3$

$7 - 4 = 3$

$8 - 5 = 3$

$9 - 6 = 3$

5가 되는 뺄셈

$6 - 1 = 5$

$7 - 2 = 5$

$8 - 3 = 5$

$9 - 4 = 5$

7이 되는 뺄셈

$8 - 1 = 7$

$9 - 2 = 7$

 내가 4살이었을 때 너는 1살!

 형이 5살이었을 때 나는 2살!

우리 나이 차는 항상 같네.

□ 안에 알맞은 두 수를 찾아 선으로 이으세요.

$\square - \square = 5$

차가 5인 두 수

$\square - \square = 8$

$\square - \square = 3$

$\square - \square = 6$

칸토 셈 두 수의 차를 보고 두 수를 찾는 활동이에요. 차가 일정할 때 두 수의 쌍은 여러 개 있을 수 있다는 것을 알게 해 주세요. 그리고 수 카드를 한 장씩 넘치며 차가 얼마인 두 수 찾기 게임을 해 보세요.

확인학습

주먹 안에는 구슬이 몇 개 있을까요?

 ➡

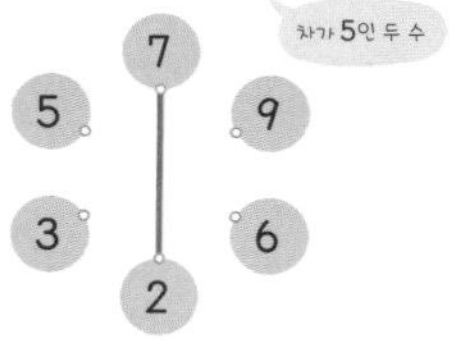

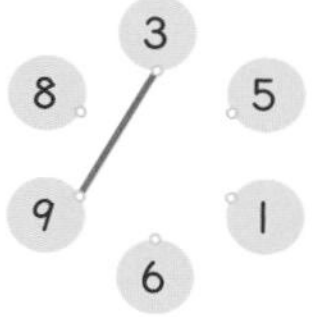

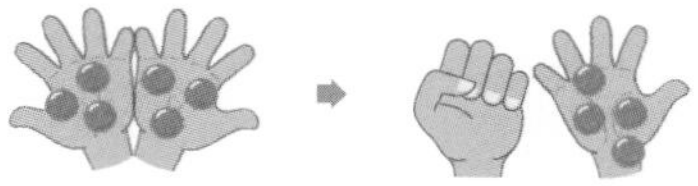

[2]개

빈칸에 알맞은 수를 쓰세요.

$8 - 5 = 3$

$4 - 2 = 2$

□ 안에 알맞은 두 수에 ○표 하세요.

$\square - \square = 4$

[2 ③ 5 ⑦]

 ➡ 19쪽으로 돌아가 2주 차 학습 기준을 달성했는지 체크해 보세요

2주

3주: 한 자리 수의 덧셈, 뺄셈

1일 그림 덧셈, 뺄셈

알맞은 식을 찾아 선으로 이으세요.

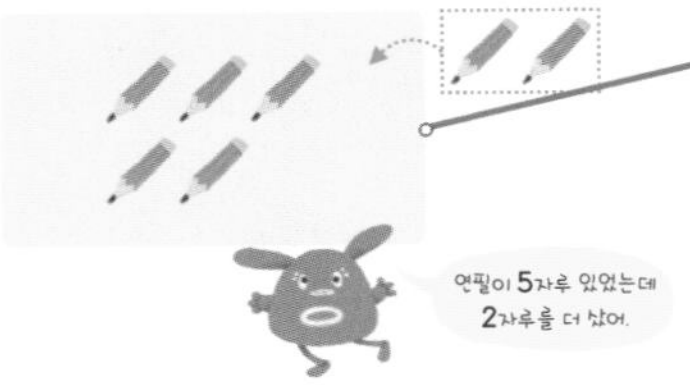

5+2

4+2

연필이 5자루 있는데 2자루를 더 샀어.

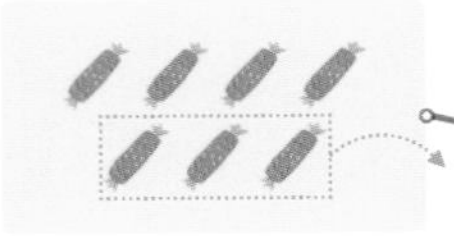

6−3

7−3

2+4

6−2

그림을 보고 덧셈과 뺄셈을 하세요.

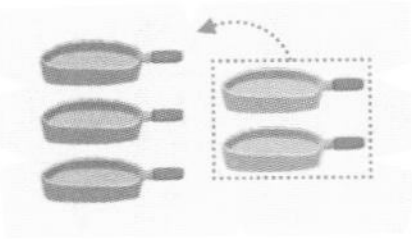

$3+2=5$

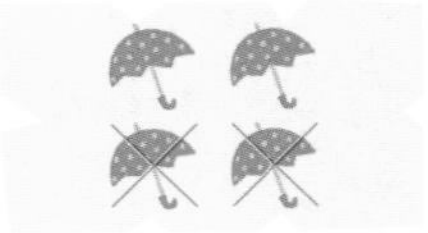

$4-2=2$

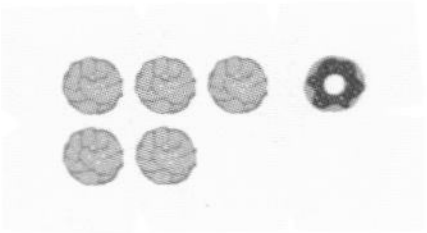

$5+1=6$

$5-3=2$

칸토 쌤 지금까지 공부한 덧셈, 뺄셈을 그림을 보며 복습합니다.

$2+1=2$ 덧셈−더하기 합셈

$3-1=2$ 뺄셈−빼기 비교

32. 3주

33

2일 저울 셈

양팔저울이 평형이 되도록 빈 추에 알맞은 수를 쓰고, 덧셈을 하세요.

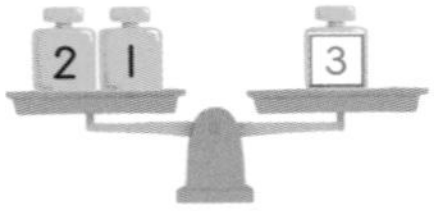

양팔저울 양쪽의 무게가 같아야 평형이 돼

2 1   3

$2+1=3$

3 4   7

$3+4=7$

5 3   8

$5+3=8$

2 7   9

$2+7=9$

양팔저울이 평형이 되도록 빈 추를 찾아 선으로 잇고, 뺄셈을 하세요.

5 1   6

$6-5=1$

3 2   5

$5-3=2$

4 4   8

$8-4=4$

4

2

5

1

8

34. 3주

35

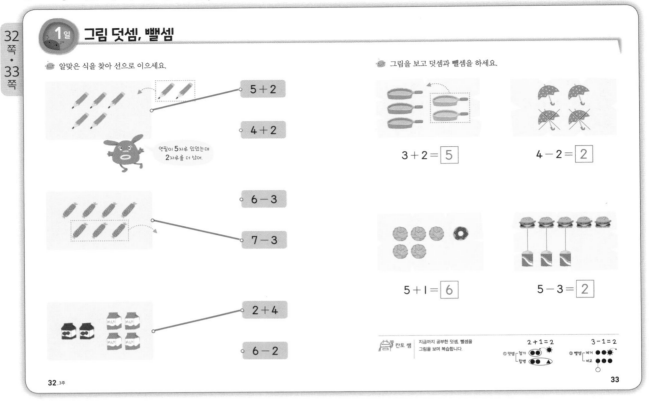

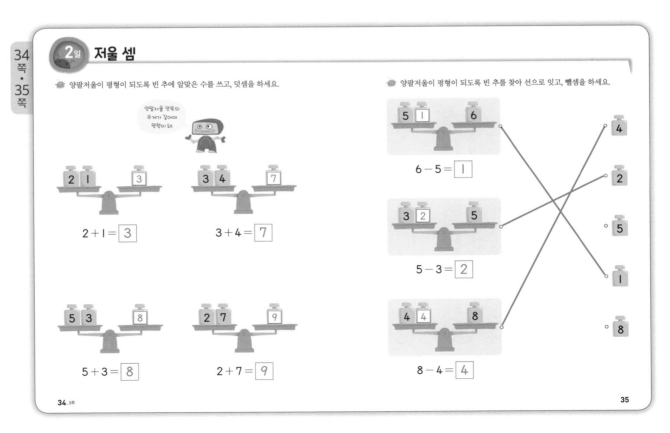

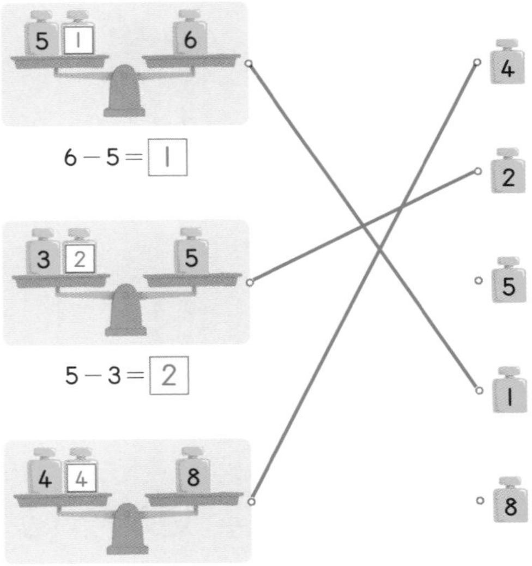

3일 덧셈과 뺄셈

덧셈과 뺄셈에 알맞은 건물 딱지를 ☐ 안에 붙이세요.

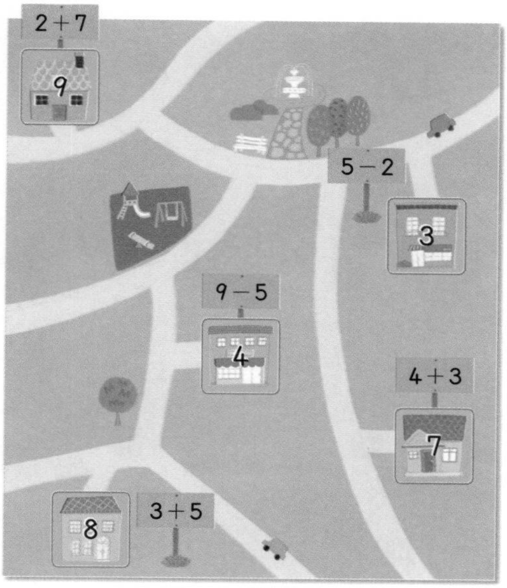

2+7
9

5−2

3

9−5

4

4+3

7

8   3+5

계산을 하세요.

$4+2=\boxed{6}$ $5-4=\boxed{1}$

$8-5=\boxed{3}$ $3+6=\boxed{9}$

$7+1=\boxed{8}$ $9-7=\boxed{2}$

$6-2=\boxed{4}$ $4+5=\boxed{9}$

$$\begin{array}{r}8\\-\ 3\\\hline \boxed{5}\end{array}\qquad\begin{array}{r}2\\+\ 6\\\hline \boxed{8}\end{array}\qquad\begin{array}{r}7\\-\ 4\\\hline \boxed{3}\end{array}$$

4일 덧셈과 뺄셈의 관계

수 막대의 빈칸에 알맞은 수를 쓰고, 덧셈식 또는 뺄셈식을 완성하세요.

5   2
7

$\boxed{5}+\boxed{2}=\boxed{7}$
$2+5=7$

자를 사용하지 않아도 알 수 있어.

5
4   1

$\boxed{5}-\boxed{4}=\boxed{1}$
또는 5−1=4

3   5
8

$\boxed{3}+\boxed{5}=\boxed{8}$
또는 5+3=8

9
7   2

$\boxed{9}-\boxed{2}=\boxed{7}$
또는 9−7=2

수 막대를 보고 만들 수 있는 덧셈식과 뺄셈식을 모두 쓰세요.

옆으로 붙은 막대끼리는 더해요.

3   4
7

위, 아래로 붙은 막대끼리는 빼요.

$\boxed{3}+\boxed{4}=\boxed{7}$ $\boxed{7}-\boxed{3}=\boxed{4}$
$\boxed{4}+\boxed{3}=\boxed{7}$ $\boxed{7}-\boxed{4}=\boxed{3}$
        덧셈   뺄셈

6   2
8

$\boxed{6}+\boxed{2}=\boxed{8}$ $\boxed{8}-\boxed{6}=\boxed{2}$
$\boxed{2}+\boxed{6}=\boxed{8}$ $\boxed{8}-\boxed{2}=\boxed{6}$
        덧셈   뺄셈

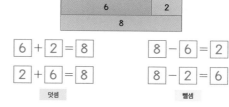

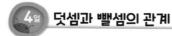

칸토 쌤 수 막대를 보고 덧셈과 뺄셈의 관계를 알아보는 활동이에요. 2층으로 된 수 막대를 보고 덧셈식과 뺄셈식이 2개씩 나올 수 있음을 알게 해 주세요. 덧셈과 뺄셈의 관계를 이용하면 ☐가 있는 덧셈식과 뺄셈식을 더 해결하기 쉬워요.

5일 합과 차

두 수의 합과 차를 구하세요.

우리 나이의 합은 7살!

나이 차는 3살!

합 7 ···· [2 5] ···· 차 3

합 5 ···· [4 1] ···· 차 3

합 6 ···· [3 3] ···· 차 0

합 9 ···· [7 2] ···· 차 5

합 9 ···· [4 5] ···· 차 1

두 수의 합과 차에 맞는 두 수를 찾아 색칠하세요.

합 6 → 3 **4** / 7 **2** 5 → 차 2

④＋②＝6   ④－②＝2

합 4 → 6 4 / **1** 8 **3** → 차 2

합 8 → **4** / 5 6 **4** → 차 0

더해서 8이 되는 두 수는 2가지만 있어.

합 7 → **4 3** / 1 2 5 → 차 1

합 9 → 9 **3** / **6** 4 5 → 차 3

합 8 → **1** / 4 3 **7** → 차 6

🎓 칸토 쌤
□가 2개씩 있는 덧셈식과 뺄셈식에서 □를 찾는 문제예요.
주어진 수 중에서 합에 맞는 두 수를 찾은 후, 두 수의 차에 맞는
지 확인하며 찾도록 지도해 주세요.

□＋□＝6 ①,②,3,④,⑤
□－□＝2 1,②,3,④,5

확인학습

계산을 하세요.

$7 + 1 = 8$ $4 - 2 = 2$

$5 + 2 = 7$ $9 - 6 = 3$

수 막대를 보고 만들 수 있는 덧셈식과 뺄셈식을 모두 쓰세요.

5	4
9	

$5 + 4 = 9$ $9 - 5 = 4$

$4 + 5 = 9$ $9 - 4 = 5$

두 수의 합과 차에 맞는 두 수를 찾아 색칠하세요.

합 7 → 6 **2** 1 4 **5** → 차 3

※ 31쪽으로 돌아가 3주 차 학습 기준을 달성했는지 체크해 보세요.

3주

4주 : 세 수의 계산

1일 이중 가르기

🐾 여러 번 가르기를 했어요. 빈칸에 알맞은 수를 쓰세요.

```
        7
      5   2
    4   1
```

```
        6
      3   3
          2   1
```

```
      5
    2   3
  1   1   1   2
```

```
        9
      5   4
    1   4   2   2
```

🐾 여러 번 가르기를 했어요. 빈칸에 알맞은 수를 쓰세요.

```
        8
      5   3
    1   2
```

```
        5
      4   1
    2   2
```

```
        7
      3   4
    1   2   3   1
```

```
        9
      6   3
    4   2   2   1
```

🐢 칸토 쌤 2일 차부터 나오는 세 수의 계산을 공부하기에 앞서 이중 가르기로 여러 번 가르기 연습을 했어요. 가르기, 모으기가 잘 되어 있지 않은 아이는 계산이 자주 틀리고 시간이 오래 걸려요. 연산 감각을 키우기 위해서는 가르기, 모으기를 아무리 강조해도 지나치지 않답니다.

2일 세 수의 뺄셈

🐾 세 수의 뺄셈을 앞에서부터 차례로 계산하세요.

$$5-2-1=\boxed{2}$$
$$\boxed{3}-1$$

$$9-3-5=\boxed{1}$$
$$\boxed{6}-5$$

$$8-4-2=\boxed{2}$$
$$\boxed{4}-2$$

$$7-2-1=\boxed{4}$$
$$\boxed{5}-1$$

$$9-1-4=\boxed{4}$$
$$\boxed{8}-4$$

🐾 세 수의 뺄셈을 하세요.

$$5-4-1=\boxed{0}$$

$$8-3-4=\boxed{1}$$

$$7-1-5=\boxed{1}$$

$$6-2-2=\boxed{2}$$

$$9-2-4=\boxed{3}$$

$$4-1-2=\boxed{1}$$

🐢 칸토 쌤 두 수의 뺄셈에서 수를 하나 더 늘려 세 수의 뺄셈을 해 봅니다. 앞 두 수의 뺄셈 결과를 기억한 후 한 번 더 빼야 하므로 아이들이 어려워해요. 앞에 쓴 후 한 번 더 뺄 수 있게 도와주세요. 손가락을 이용해도 좋습니다.

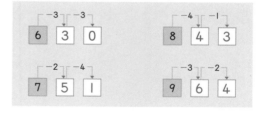

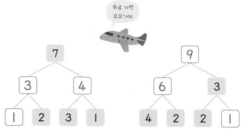

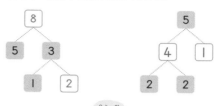

3일 세 수의 계산

세 수의 덧셈과 뺄셈을 앞에서부터 차례로 계산하세요.

$2+4-3=\boxed{3}$

$\boxed{6}-3$

울타리 안에
양 2마리가 있었어.

4마리가 들어오고
3마리가 나갔어.
몇 마리 남았어?

$5-1+2=\boxed{6}$

$\boxed{4}+2$

$4+2-5=\boxed{1}$

$\boxed{6}-5$

$8-3+4=\boxed{9}$

$\boxed{5}+4$

$7-1-3=\boxed{3}$

$\boxed{6}-3$

세 수의 덧셈과 뺄셈을 하세요.

$2+5-1=\boxed{6}$

$5-4+3=\boxed{4}$

$7-1-4=\boxed{2}$

$3+3+2=\boxed{8}$

$5-3+5=\boxed{7}$

$4+2+1=\boxed{7}$

칸토 쌤: 더하기와 빼기가 섞여 있는 세 수의 계산을 공부해요. 앞에서부터 차례로 계산 하지 않으면 계산 결과가 달라지는 경우가 있어요. 이것에 주의하여 연산 기호 를 잘 보고 계산할 수 있게 지도해 주세요.

$5-2+1=\boxed{}$
$5-3=2$ (×)

4일 세 수의 계산 연습

계산 결과가 더 큰 곳(H)에 딱지를 붙이세요.

$4+2$ 6 / $5-2+4$ 7

$9-4$ 5 / $3+5-4$ 4

더 큰 쪽으로
착륙해 줘요.

$2+7-3$ 6 / $9-3-1$ 5

$3+1+3$ 7 / $7-2+4$ 9

계산 결과에 맞는 글자를 찾아 빈칸에 쓰세요.

을 $7-5+1=3$

봐 $8-4+3=7$

원 $4+4-6=2$

소 $6-5=1$

해 $9-1-3=5$

말 $5+2-3=4$

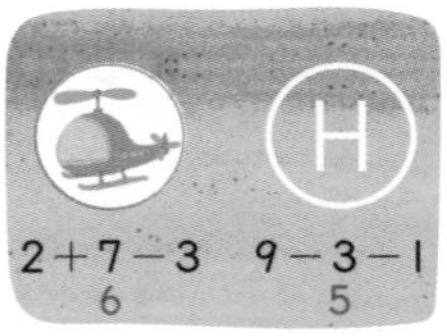

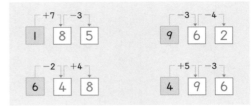

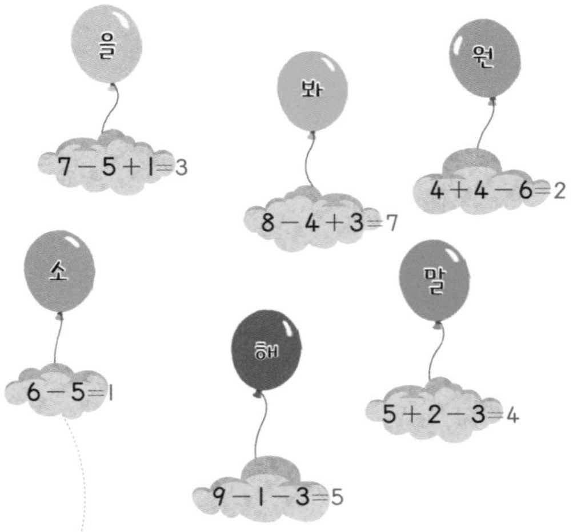

1	2	3	4	5	7
소	원	을	말	해	봐

52쪽 · 53쪽

5일 연산 기호 넣기

○ 안에 + 또는 −를 알맞게 쓰세요.

2 (+) 1 = 3	4 (−) 2 = 2
5 (−) 4 = 1	6 (+) 3 = 9
4 (+) 3 (+) 1 = 8	6 (+) 2 (−) 3 = 5
9 (−) 5 (+) 1 = 5	5 (−) 1 (−) 1 = 3

계산에 맞게 길을 그리세요.

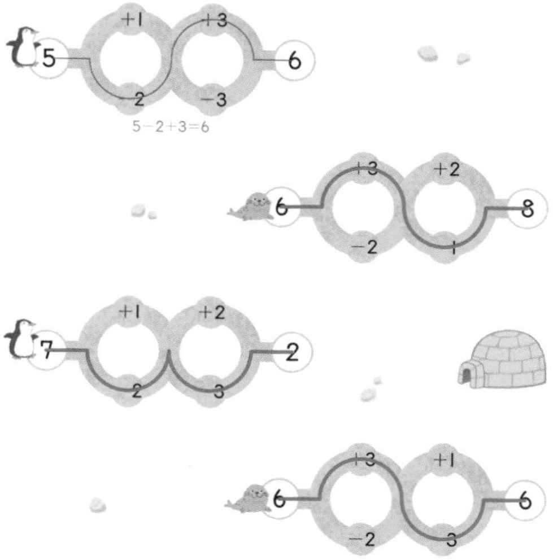

칸토 쌤 □가 있는 세 수의 계산에서 연산 기호와 수를 구하는 문제예요. 아이들이 시행착오를 통해 문제를 해결할 수 있어요. 하지만 처음 수와 계산 결과를 비교하여 수가 커져야 하는지 작아져야 하는지를 생각하며 해결하도록 도와주세요.

수가 커졌어. +가 들어가겠네.

5 ○ 1 ○ 3 = 9

54쪽 · 55쪽

확인학습

계산을 하세요.

5 + 2 − 3 = 4	4 + 1 + 2 = 7
8 − 4 − 1 = 3	7 − 5 + 7 = 9
2 + 6 − 3 = 5	9 − 4 − 4 = 1

계산에 맞게 길을 그리세요.

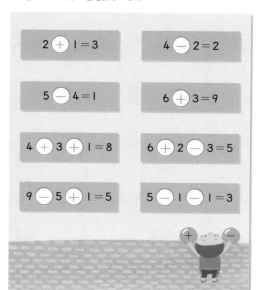

➡ 43쪽으로 돌아가 4주 차 학습 기준을 달성했는지 체크해 보세요.

4주

마무리 평가

56쪽 · 57쪽

마무리 평가 1회

맞은 개수 개 (7개)

알맞은 식을 찾아 선으로 이으세요.

❶

4－3　　3－3

(4－3에 연결)

❷

5－2　　6－2

(6－2에 연결)

컵 안에 있는 사탕의 개수를 빈칸에 쓰세요.

❸
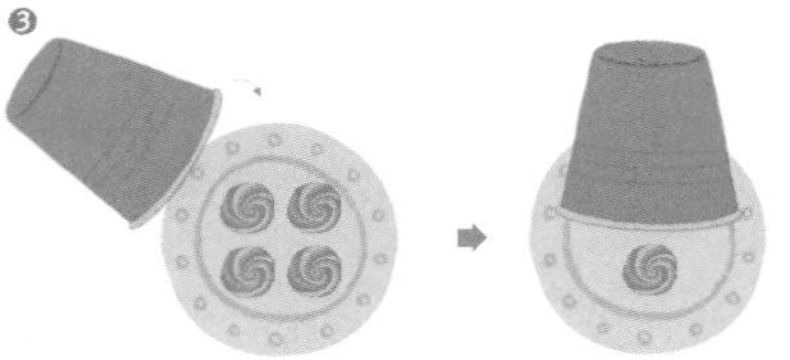

3 개

양팔저울이 평형이 되도록 빈 추에 알맞은 수를 쓰고, 덧셈을 하세요.

❹

2＋2＝4

❺

3＋6＝9

가르기를 하여 빈칸에 알맞은 수를 쓰세요.

❻ 7 → 4, 3 / 4 → 2, 2

❼ 8 → 5, 3 / 5 → 2, 3 / 3 → 1, 2

58쪽 · 59쪽

마무리 평가 2회

맞은 개수 개 (10개)

그림을 보고 뺄셈을 하세요.

❶
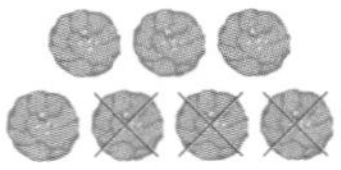

7－3＝4

❷
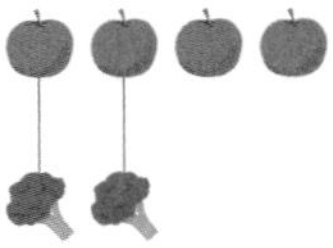

4－2＝2

양팔저울이 평형이 되도록 빈 추에 알맞은 수를 쓰고, 뺄셈을 하세요.

❺
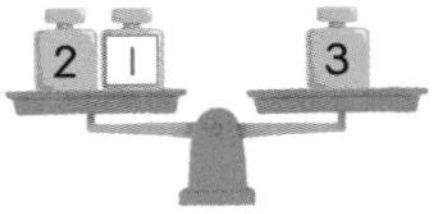

3－2＝1

❻

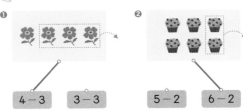

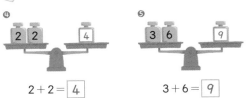

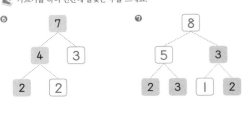

7－4＝3

화살표를 그려 빈칸에 알맞은 수를 구하세요.

❸

1	2	3	4	5	6	7	8	9

5－3＝2

❹

1	2	3	4	5	6	7	8	9

9－2＝7

계산을 하세요.

❼ 6－1－2＝3

❽ 9－2－5＝2

❾ 8－3－1＝4

❿ 7－4－2＝1

마무리 평가 3회

맞은 개수 개 (9개)

빼는 수만큼 /으로 지워 뺄셈을 하세요.

❶
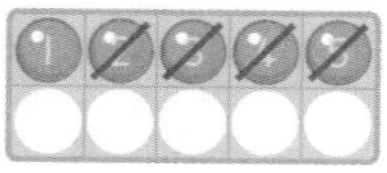

5 − 4 = 1

❷
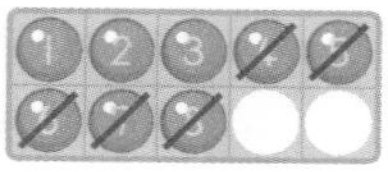

8 − 5 = 3

●를 /으로 지우거나, 지운 것을 ∅로 나타내어 빈칸에 알맞은 수를 구하세요.

❸
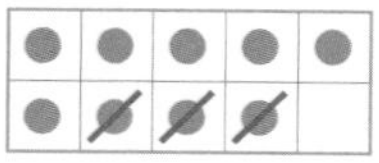

9 − 3 = 6

❹
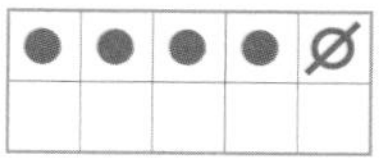

5 − 1 = 4

계산을 하세요.

❺ 5 + 2 = 7

❻ 7 − 6 = 1

❼ 6 − 4 = 2

계산 결과가 더 큰 종이에 ○표 하세요.

❽ 4 + 3 − 2 (5), 3 − 1 + 4 (6) ○

❾ 8 − 5 + 5 (8) ○, 7 − 6 + 4 (5)

마무리 평가 4회

맞은 개수 개 (12개)

화살표를 그려 뺄셈을 하세요.

❶

7 − 2 = 5

❷

6 − 3 = 3

수 막대의 빈칸에 알맞은 수를 쓰고, 덧셈식 또는 뺄셈식을 완성하세요.

❼
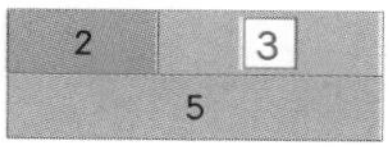

5 − 2 = 3
또는 5 − 3 = 2

❽

4 + 4 = 8

올바른 덧셈식과 뺄셈식이 되도록 빈칸에 알맞은 수를 쓰세요.

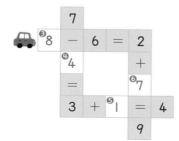

	7				
❸8	−	6	=	2	
	❹4			+	
	=			❻7	
	3	+	❺1	=	4
				9	

○ 안에 + 또는 −를 알맞게 쓰세요.

❾ 7 (−) 3 = 4

❿ 5 (+) 4 = 9

⓫ 6 (+) 1 (−) 2 = 5

⓬ 3 (+) 2 (+) 3 = 8

마무리 평가 ⑤회

맞은 개수 [ ] 개 (8개)

📖 관계있는 것끼리 선으로 이으세요.

❶ $5 - 3$

③ ① ②

❷ $9 - 5$

③ ④ ⑤

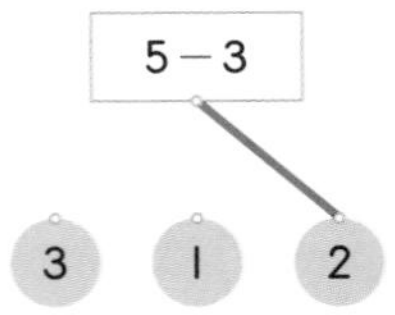

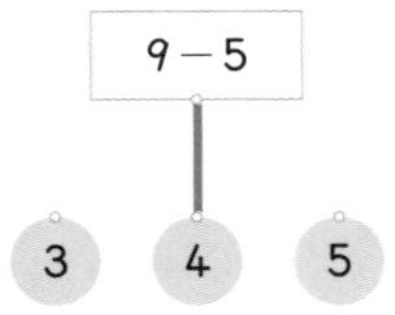

📖 두 수의 합과 차에 맞는 두 수를 찾아 색칠하세요.

❺ 합 6 · · 차 4

2 5
1 4 3

❻ 합 9 · · 차 1

7 6
2 5 4

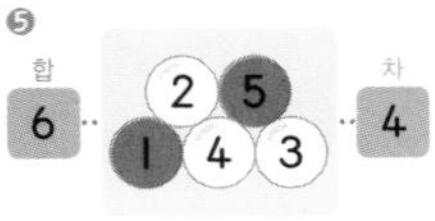

📖 □ 안에 알맞은 두 수를 찾아 선으로 이으세요.

❸ $□ - □ = 7$

8
2 6
3 9
5

❹ $□ - □ = 2$

5
2 8
6 1
9

📖 계산에 맞게 길을 그리세요.

❼

3 +1 +2 4
-1 -1

❽

6 +2 +1 5
-3 -3

실력 평가 → 67쪽

65

칸토의 연산 7세 2권 실력 평가

❶ $4 - 2 = 2$ ⓫ $8 - 4 = 4$

❷ $6 - 1 = 5$ ⓬ $4 - 1 = 3$

❸ $5 - 4 = 1$ ⓭ $6 - 5 = 1$

❹ $8 - 3 = 5$ ⓮ $9 - 1 = 8$

❺ $9 - 7 = 2$ ⓯ $5 - 3 = 2$

❻ $6 - 3 = 3$ ⓰ $4 - 0 = 4$

❼ $7 - 6 = 1$ ⓱ $8 - 6 = 2$

❽ $9 - 5 = 4$ ⓲ $3 - 2 = 1$

❾ $6 - 6 = 0$ ⓳ $7 - 5 = 2$

❿ $7 - 1 = 6$ ⓴ $9 - 4 = 5$

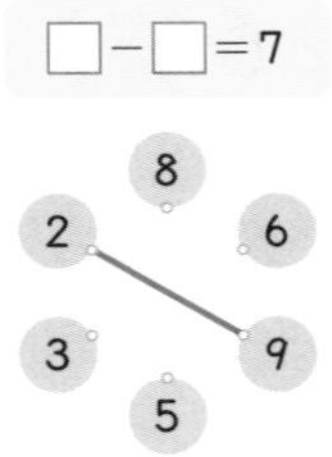

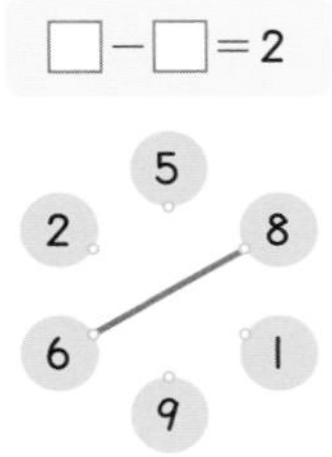

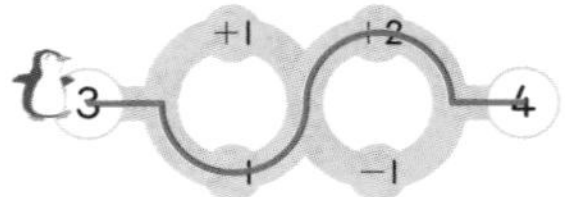

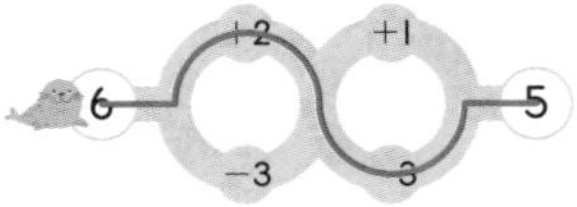

6쪽

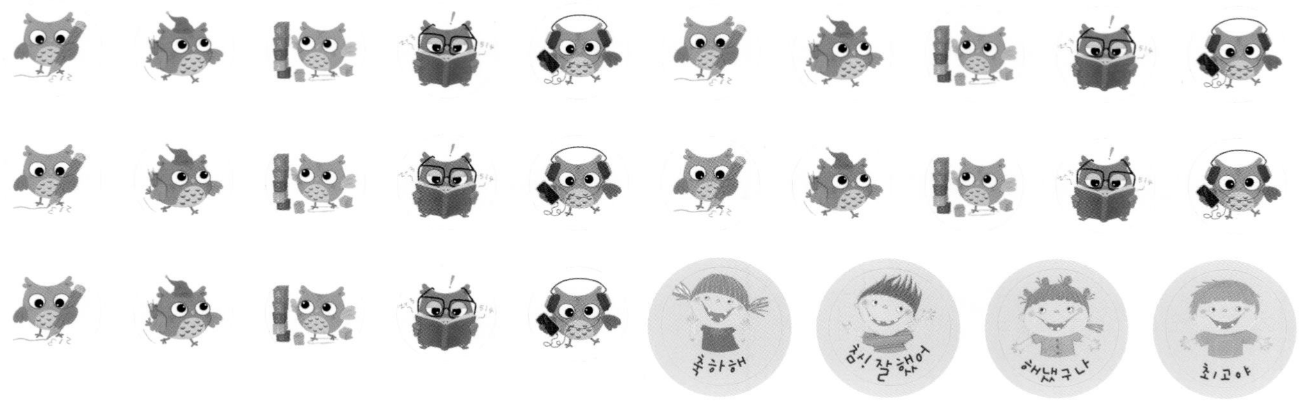

16쪽

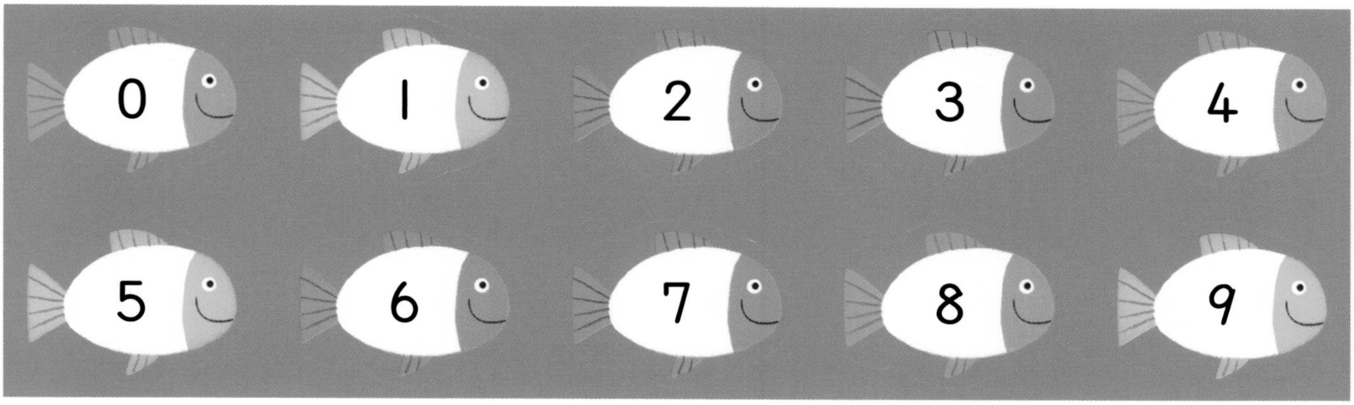

20쪽

36쪽

50쪽